TRATADO DA VERDADEIRA DEVOÇÃO À SANTÍSSIMA VIRGEM MARIA

Coleção **Leituras Marianas**

- *Tratado da verdadeira devoção à Santíssima Virgem Maria*, São Luís Maria Grignion de Montfort
- *O segredo admirável do santíssimo rosário para se converter e se salvar*, São Luís Maria Grignion de Montfort
- *O segredo de Maria: sobre a escravidão da Santíssima Virgem*, São Luís Maria Grignion de Montfort
- *A imitação da bem-aventurada Virgem Maria*, Tomás de Kempis

SÃO LUÍS MARIA
GRIGNION DE MONTFORT

Tratado da verdadeira devoção à Santíssima Virgem Maria

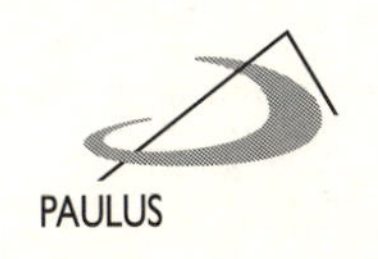

Título original: TRAITÉ DE LA VRAIE DÉVOTION À LA SAINTE VIERGE

Tradução e apresentação: *Tiago José Risi Leme*

Direção editorial: *Claudiano Avelino dos Santos*
Coordenação de revisão: *Tiago José Risi Leme*
Capa: *Anderson Daniel de Oliveira*
Editoração, impressão e acabamento: PAULUS

Dados Internacionais de Catalogação na Publicação (CIP)
(Câmara Brasileira do Livro, SP, Brasil)

Luís Maria, de Montfort, Santo, 1673-1716
Tratado da verdadeira devoção à Santíssima Virgem Maria / São Luís Maria Grignion de Montfort; [tradução Tiago José Risi Leme]. — São Paulo: Paulus, 2017. — Coleção Clássicos do cristianismo.
Título original: *Traité de la vraie dévotion à la Sainte Vierge.*

ISBN 978-85-349-4628-5 (luxo)
ISBN 978-85-349-4708-4 (simples)

1. Cristianismo 2. Maria, Virgem, Santa 3. Maria, Virgem, Santa - Devoção 4. Teologia
I. Título II. Série.

17-07554 CDD-232.91

Índice para catálogo sistemático:
1. Maria, Virgem, Santa: Devoção: Mariologia 232.91

Seja um leitor preferencial **PAULUS.**
Cadastre-se e receba informações sobre nossos lançamentos e nossas promoções:
paulus.com.br/cadastro
Televendas: **(11) 3789-4000 / 0800 016 40 11**

1ª edição, 2017 (luxo)
3ª reimpressão, 2021
2ª edição, 2017 (bolso)
9ª reimpressão, 2024
3ª edição, 2017 (simples)
7ª reimpressão, 2025

© PAULUS - 2017

Rua Francisco Cruz, 229 · 04117-091 - São Paulo (Brasil)
Tel. (11) 5087-3700
paulus.com.br · editorial@paulus.com.br

ISBN 978-85-349-4628-5 (luxo)
ISBN 978-85-349-4655-1 (bolso)
ISBN 978-85-349-4708-4 (simples)

APRESENTAÇÃO[1]

Tiago José Risi Leme

1) O legado de São Luís Maria Grignion de Montfort

Em seu *Discurso aos peregrinos reunidos em Roma para a canonização de Luís Maria Grignion de Montfort*, de 21 de julho de 1947, o Papa Pio XII assim se refere ao autor do *Tratado da verdadeira devoção à Santíssima Virgem Maria*:

> A característica própria a Luís Maria, e pela qual é um autêntico bretão, é sua tenacidade perseverante em perseguir o santo ideal, o único ideal de sua vida: ganhar os homens para dá-los a Deus. Na busca desse ideal, ele lançou mão de todos os recursos que poderia receber da natureza e da graça, de modo que pôde ser verdadeiramente, em todos os campos, o apóstolo do Oeste da França. [...] A caridade: eis o grande, ou mesmo o único segredo dos resultados surpreendentes da vida tão breve, tão múltipla e movimentada de Luís Maria Grignion de Montfort. [...] A cruz de Jesus, a Mãe de Jesus: os dois polos de sua vida pessoal e de seu apostolado. E eis como essa vida, em sua brevidade, foi plena; como esse apostolado, exercido durante apenas doze anos, se perpetua já há mais de dois séculos e se estende sobre muitas regiões! O fato é que a Sabedoria, à qual ele se entregou, fez frutificar seus labores, coroou seus trabalhos, que a morte certamente não interrompeu. A obra

[1] Dedico a tradução desta obra e esta humilde apresentação ao padre Claudiano Avelino dos Santos, um amigo e devoto da Santíssima Virgem Maria.

é toda de Deus, mas também traz consigo a marca daquele que foi seu fiel cooperador.[2]

São Luís Maria nasceu em Montfort, próximo a Rennes (França), em 31 de janeiro de 1673, filho mais velho de um advogado bretão. Sua primeira educação esteve a cargo dos jesuítas. Aos 19 anos, entrou no seminário Saint-Sulpice, em Paris, onde brilhou por sua inteligência e profunda piedade. Foi na escola de Saint-Sulpice que pôde se desenvolver sua grande devoção à Santíssima Virgem Maria e à cruz de Nosso Senhor Jesus Cristo, dois pilares de sua missão, como acenou Pio XII por ocasião de sua canonização.

Foi ordenado sacerdote em 1700, aos 27 anos de idade, tornando-se capelão do hospital de Poitiers, onde divide a mesa com os doentes e reúne, em torno de Marie-Louise Trichet, filha de um alto magistrado, um grupo de moças que desejavam se dedicar aos pobres. Assim nasceu a congregação das Filhas da Sabedoria. As reformas que ele propõe e o embate de ideias com os Jansenistas incomodam a burguesia local, que consegue retirá-lo do hospital. Ele então se dirige ao Papa, a fim de ser enviado em missão. O Papa o envia de volta à França, como pregador das missões paroquiais, o que também o faz atrair a simpatia de alguns e a cólera de outros.

Também foram fundadas por ele duas outras congregações: uma conhecida como Companhia de Maria, dos Padres Missionários Montfortinos, que só terá início após sua morte, e a congregação dos Irmãos de São Gabriel.

---

[2] Publicado em francês, sob o título: *Discours du Pape Pie XII aux pèlerins réunis à Rome pour la canonisation de Saint Louis-Marie Grignion de Montfort*. Disponível em: http://w2.vatican.va/content/pius-xii/fr/speeches/1947/documents/hf_p-xii_spe_19470721_beato-de-montfort.html (Tradução nossa).

Sua incansável atividade missionária de pregação pelas dioceses do Oeste da França também o colocou em conflito com as autoridades eclesiásticas. Porém, o bispo de La Rochelle, dom Etienne de Champflour, tornou-se para ele um protetor eficaz. A partir de 1711, o padre Luís Maria pregou em sua diocese três missões: uma para homens, outra para soldados e uma terceira para mulheres. Tendo sido alvo de uma tentativa de envenenamento, precisou fugir da cidade, indo pregar em outras dioceses, como Aunis, Thairé, Saint-Vivien, Esnandes e Courçon. Em 1714, pregará na diocese de Saintes.

Sua atividade apostólica se desenrolou no período de dez anos, por meio de sua palavra poderosa e a chama de seu zelo, sendo inclusive acompanhada de milagres. Sua vida espiritual foi alimentada por uma oração contínua e vivificada em retiros prolongados. Uma série de cantos populares completa os frutos de sua pregação. Plantando a cruz de Cristo por inúmeros povoados e semeando a devoção ao Rosário, a Divina Providência se serviu dele para preparar os fiéis da parte ocidental da França para a resistência contra as perseguições que se seguiram à Revolução Francesa.

Após dezesseis anos de apostolado, em 1716, morre em plena atividade missionária, em Saint-Laurent-sur-Sèvre (Vendée), com apenas quarenta e três anos. É considerado um dos maiores santos dos tempos modernos e o grande promotor da devoção à Santíssima Virgem de nosso tempo. Foi beatificado pelo Papa Leão XIII, em 22 de janeiro de 1888, e canonizado por Pio XII, em 20 de julho de 1947.

Entre suas obras principais, destacam-se: *L'Amour de la Sagesse éternelle* (*O amor da Sabedoria eterna*); *Traité de la vraie dévotion à la Vierge Marie* (*Tratado da verdadeira devoção à Virgem Maria*); *Le Secret de Marie* (*O segredo de Maria*); *Lettre circulaire aux Amis de la Croix* (*Carta circular aos amigos da cruz*); *Le Secret admirable du très saint Rosaire pour se convertir et se sauver* (*O segredo admirável do santíssimo Rosário para se converter e se salvar*); *La Prière embrasée* (*A oração abrasada*) e *Les Cantiques* (*Os cânticos*).

2) A importância do *Tratado da verdadeira devoção à Santíssima Virgem Maria* para os dias atuais e a proposta de uma devoção cristocêntrica

De acordo com Andrés Molina Prieto, da Sociedade Mariológica Espanhola, o *Tratado da verdadeira devoção à Santíssima Virgem Maria* ficou completamente na obscuridade por mais de um século, de modo a se cumprir a profecia do próprio São Luís Maria, de que o livro permaneceria no "silêncio de um baú" (n. 114 do *Tratado*), tamanha a resistência que despertaria. De fato, um manuscrito incompleto, sem o título da obra, foi encontrado por acaso em 1842 nos arquivos dos padres Montfortinos, sendo publicado no ano seguinte e alcançando imediatamente um extraordinário sucesso editorial.[3] Para uma datação do *Tratado*, a Biblioteca Nacional da França situa sua redação em 1712, como também documenta a existência de um manuscrito do século XIX, sem data específica, sob o título *Préparation au règne de Jésus-Christ* (*Preparação ao Reino de Jesus Cristo*), sendo que o título *Traité de la vraie dévotion à la Vierge Marie* foi dado pelos editores da obra no século XIX.[4]

Certamente o maior e mais ilustre devoto da Santíssima Virgem Maria que seguiu as práticas de devoção propostas neste *Tratado* foi São João Paulo II, que consagrou seu pontificado

[3] Cf. Andrés Molina Prieto, "Introducción", in S. L. M. Grignion de Montfort, *Escritos marianos selectos*, Madri: San Pablo, 1999.

[4] Cf. Bibliothèque Nationale de France, in: http://data.bnf.fr/16166761/louis-marie_grignion_de_montfort_traite_de_la_vraie_devotion_a_la_vierge_marie/.

inteiramente à Mãe de Deus e cujo lema foi *Totus Tuus*, o qual se encontra representado em seu brasão. Em 1994, João Paulo II assim referiu-se a esse lema, que marcou profundamente não apenas seu pontificado, mas também seu magistério e apostolado:

> *Totus tuus.* Esta fórmula não tem apenas um caráter de piedade, não é uma simples expressão de devoção: é algo mais. A orientação para tal devoção se afirmou em mim no período em que, durante a Segunda Guerra Mundial, trabalhava como operário de uma fábrica. Num primeiro momento, pareceu-me que deveria distanciar-me um pouco da devoção mariana da infância, em favor do cristocentrismo. Graças a São Luís Maria Grignion de Montfort, compreendi que a *verdadeira devoção à Mãe de Deus é, ao contrário, exatamente cristocêntrica, ou seja, está profundissimamente radicada no Mistério trinitário de Deus, e nos mistérios da Encarnação e da Redenção.*[5]

Tendo descoberto a verdadeira devoção a Nossa Senhora por meio deste *Tratado* e tendo se tornado um perfeito devoto dela já antes de ocupar a cátedra de Pedro, João Paulo II inicia seu *Testamento espiritual*, escrito originalmente em polonês e datado de 6 de março de 1979, com as palavras *Totus tuus ego sum*. Invocando o nome da Santíssima Trindade e citando Mateus 24,42, trecho no qual Jesus convida os discípulos a orar e vigiar, pois não sabemos o dia nem a hora de sua vinda, o Santo Padre afirma que, também ele não sabendo a hora de sua passagem para a eternidade, "deposito esse momento nas mãos da Mãe do meu Senhor: *Totus tuus*. Nas mesmas mãos maternais deixo

---

[5] João Paulo II, *Varcare la soglia della speranza*, Milão: Arnoldo Mondadori Editore, 1994, citado em Sala Stampa della Santa Sede, aggiornamento: 03.04.2001. Disponível em: http://www.vatican.va/news_services/press/documentazione/documents/sp_ss_scv/insigne/totus-tuus_it.html (Tradução nossa).

tudo e todos aqueles aos quais fui associado por minha vida e minha vocação. Nessas mãos coloco sobretudo a Igreja, como também minha nação e toda a humanidade".[6]

É importante salientar que a fórmula *Totus tuus* aparece no número 233 do *Tratado da verdadeira devoção à Santíssima Virgem Maria*, quando São Luís Maria exorta os que se consagraram à Mãe de Deus pelo método que ele propõe a repetirem continuamente, não apenas no aniversário de sua consagração, mas também "todo mês e todo dia", renovando "tudo o que realizaram, por meio destas simples palavras: *Totus tuus ego sum, et omnia mea tua sunt* ('Todo teu eu sou, e tudo o que possuo pertence a ti, ó amável Jesus, por Maria, tua santa Mãe')". Essa tradução entre parênteses, que traduzimos tal qual do francês, foi um acréscimo do próprio São Luís Maria, o que demonstra o caráter cristocêntrico da consagração: trata-se, de fato, de uma consagração a Jesus por Maria, e não a Maria primordialmente.

Conforme São Luís afirma reiteradas vezes ao longo do *Tratado*, a proposta de consagração a Nossa Senhora por ele apresentada não diverge em nada das promessas e votos que fizemos no momento do batismo (ou que nossos pais e padrinhos fizeram por nós). Trata-se, efetivamente, de algo como uma atualização dos compromissos assumidos quando fomos batizados, por meio das *práticas interiores e exteriores da consagração* (cf. n. 115-116, 213, 257). Nesse sentido, a natureza do *Tratado* e sua finalidade última podem ser vislumbradas e meditadas nas seguintes palavras de São Luís Maria – palavras estas que têm a virtude de contestar qualquer deturpação que este *Tratado* possa sofrer, e qualquer mau uso que se possa fazer da devoção por ele defendida, a fim de que esta não seja rebaixada a uma

---

[6] *Testamento del Santo Padre Giovanni Paolo II*. Disponível em: http://www.vatican.va/gpII/documents/testamento-jp-ii_20050407_it.html (Tradução nossa).

mariolatria que nada tem a ver com nossa condição de filhos adotivos de Deus, pelo batismo, pelos méritos de Nosso Senhor Jesus Cristo e na unidade do Espírito Santo:

> Toda a nossa perfeição consiste em sermos conformes a Jesus Cristo, estando unidos e consagrados a ele, de modo que a mais perfeita dentre todas as devoções é, sem sombra de dúvida, aquela que nos conforma, nos une e nos consagra a Jesus Cristo. Ora, sendo Maria, dentre todas as criaturas, a mais conforme a Jesus Cristo, disso resulta que a devoção que melhor consagra e conforma uma alma a Nosso Senhor é a devoção à Santíssima Virgem, sua santa Mãe, e que, à proporção que uma alma se consagrar mais a Maria, mais consagrada estará a Jesus Cristo. Por essa razão, a perfeita consagração a Jesus Cristo não é outra coisa senão uma consagração perfeita e total de si mesmo à Santíssima Virgem, e é essa a devoção que proclamo, a qual também se pode considerar uma perfeita renovação dos votos e promessas do santo batismo (n. 120).

(*No Ano Mariano do centenário das aparições de Nossa Senhora de Fátima e do tricentenário do encontro da imagem de Nossa Senhora Aparecida, Rainha e Padroeira do Brasil.*)

INTRODUÇÃO

1. Jesus Cristo veio ao mundo pela Santíssima Virgem Maria; é também por ela que Ele deve reinar no mundo.

2. Maria viveu sua vida no anonimato, motivo pelo qual é chamada de *Alma Mater* pela Igreja e pelo Espírito Santo: Mãe escondida e secreta. Sua humildade foi tão profunda que ela não teve neste mundo pretensão mais poderosa e mais contínua do que a de esconder-se a si mesma e a toda criatura, para ser conhecida unicamente por Deus.

3. Para atender a suas súplicas de mantê-la oculta, pobre e humilde, Deus agradou-se em escondê-la, aos olhos de praticamente toda criatura humana, em seu nascimento, em sua vida, em seus mistérios, em sua ressurreição e assunção. Mesmo seus pais não a reconheceram, e os anjos com frequência se perguntavam uns aos outros: *Quae est ista?* ("Quem é esta?", Ct 8,5). Pois o Altíssimo a ocultou deles; ou, se dela descobrissem alguma coisa, Ele ainda lhes ocultava infinitamente mais.

4. Deus Pai consentiu que ela jamais fizesse algum milagre em vida, ou algum que pelo menos causasse admiração, ainda que Ele lhe tivesse dado o poder para tal. Deus Filho consentiu que ela não falasse quase nada, embora lhe tivesse comunicado sua sabedoria. Deus Espírito Santo consentiu que seus apóstolos e evangelistas falassem muito pouco dela, tão somente o necessário para que Jesus Cristo se tornasse conhecido, não obstante ela fosse sua Esposa fiel.

5. Maria é a excelente obra-prima do Altíssimo, cujo conhecimento e cuja posse Ele reservou para si. Maria é a Mãe admirável do Filho, que Ele agradou-se em humilhar e esconder em sua vida, a fim de favorecer sua humildade, tratando-a pelo nome de mulher, *mulier*, como a uma estranha, embora em seu coração a estimasse e a amasse mais que a todos os anjos e a todos os homens. Maria é a fonte selada e a Esposa fiel do Espírito Santo, na qual somente Ele pode entrar. Maria é o santuário e o repouso da Santíssima Trindade, onde Deus está do modo mais magnífico e mais divino do que em qualquer outro lugar do Universo, sem excluir sua morada entre os querubins e serafins; e não é permitido a nenhuma criatura, por mais pura que seja, ali entrar sem um grande privilégio.

6. Junto com os santos, digo que a divina Maria é o paraíso terreno do novo Adão, no qual ele se encarnou por obra do Espírito Santo, para ali operar maravilhas incompreensíveis. Ela é o grande e divino mundo de Deus, em que há belezas e tesouros inefáveis. Ela é a magnificência do Altíssimo, onde ele escondeu, como em seu seio, seu Filho único e, nele, tudo o que existe de mais excelente e precioso. Oh! Oh! Quantas maravilhas, imensas e escondidas, esse Deus poderoso fez nessa criatura admirável, como ela própria se viu obrigada a dizer, apesar de sua profunda humildade: *Fecit mihi magna qui potens est* ("O Todo-poderoso fez grandes coisas por mim", Lc 1,49).[1] O mundo não as conhece, por ser incapaz e indigno de fazê-lo.

7. Os santos disseram coisas admiráveis dessa cidade santa de Deus; e jamais foram mais eloquentes e mais contentes do que quando o fizeram, como eles mesmos o confessam. Em seguida, eles

[1] Para textos bíblicos citados em latim sem tradução na edição original em francês, usaremos a tradução da *Nova Bíblia Pastoral* (São Paulo: Paulus, 2014). (N.T.)

exclamam que a altura de seus méritos, que ela elevou até o trono da Divindade, não se pode perceber; que a largura de sua caridade, cuja extensão é maior que a da terra, não se pode medir; que a grandeza de seu poder, que ela tem sobre o próprio Deus, não se pode compreender; e, por fim, que a profundeza de sua humildade e de todas as suas virtudes e graças, que constituem um abismo, não se pode sondar. Ó altura incompreensível! Ó largura inefável! Ó grandeza imensurável! Ó abismo impenetrável!

8. Dia a dia, de uma extremidade a outra da terra, no mais alto dos céus, no mais profundo dos abismos, tudo proclama, tudo anuncia a admirável Maria. Os nove coros dos anjos, os homens de todos os sexos, idades, condições, religiões, bons e maus, até os demônios, são obrigados a chamá-la de bem-aventurada, de boa vontade, ou de má vontade, pela força da verdade. Todos os anjos nos céus lhe exclamam incessantemente, como afirma São Boaventura: *Sancta, sancta, sancta Maria, Dei Genitrix et Virgo* ("Santa, santa, santa Maria, genitora de Deus e Virgem"); e lhe oferecem, milhões e milhões de vezes por dia, a saudação dos anjos: "Ave, Maria...", prostrando-se diante dela, e pedindo-lhe a graça de dar-lhes a honra de cumprir algumas de suas ordens. Até mesmo São Miguel arcanjo, que, como diz Santo Agostinho, apesar de ser o príncipe da milícia celeste, é o mais zeloso em lhe render e em fazer-lhe render todas as espécies de honras, estando sempre à espera de poder honrá-la, indo, sob suas ordens, prestar auxílio a algum de seus servos.

9. Toda a terra está cheia de sua glória, sobretudo nos países cristãos, onde ela é honrada como padroeira e protetora de vários reinos, províncias, dioceses e cidades. Inúmeras catedrais consagradas, em seu nome, a Deus. Não há igreja que não tenha um altar em sua honra; nenhuma região nem cantão em que não haja alguma de suas imagens milagrosas, em que todas as espécies de males são curados e todo tipo de bens obtidos. Quantos institutos e congregações em sua honra! Quantas religiões sob seu nome e sua proteção! Quantos confrades e irmãs de todas as fraternidades, quantos religiosos e religiosas de todas as religiões publicam seus louvores e anunciam suas misericórdias! Não há uma criancinha que, ao gaguejar a ave-maria, não a louve; não há um pecador que, mesmo em seu endurecimento, não tenha por ela uma flâmula de confiança; nem mesmo no inferno existe um demônio que, temendo-a, não a respeite.

10. Em seguida, é preciso dizer, em verdade, com os santos: *De Maria, nunquam satis* ("Sobre Maria, nunca [se diz] o bastante"). Ainda não se louvou, nem se exaltou, nem se honrou, nem se amou, nem se serviu suficientemente Maria.[2] Ela merece ainda mais louvores, respeito, honra, amor e serviços.

11. Em seguida, é preciso dizer com o Espírito Santo: *Omnis gloria ejus filiae Regis ab intus* ("Toda a glória do filho do Rei está em seu interior", cf. Sl 44,14): como se toda a glória exterior que lhe rendem o céu e a terra não fosse nada, em comparação com aquela que ela recebe, em seu interior, do Criador, e que não é conhecida pelas pequenas criaturas, que não podem penetrar o mais secreto dos segredos do Rei.

12. Em seguida, devemos exultar com o Apóstolo: *Nec oculus vidit, nec auris audivit, nec in cor hominis ascendit* (1Cor 2,9): nem o olho viu, nem o ouvido ouviu, nem o coração do homem compreendeu as belezas, as grandezas e excelências de Maria, o milagre dos milagres da graça, da natureza e da glória. Se você

---

[2] Como não pensar aqui em quatro grandes devotos de Nossa Senhora que marcaram o século XX: São Maximiliano Kolbe, São João Paulo II, Santa Teresa de Calcutá e Padre José Kentenich? Esses quatro santos certamente amaram a Virgem Maria o bastante para se tornarem nossos modelos de verdadeira devoção à Mãe de Deus. (N.T.)

quiser compreender a Mãe, disse um santo, compreenda o Filho. Ela é uma Mãe digna de Deus: *Hic taceat omnis lingua* ("Que toda língua se cale aqui").

13. Meu coração veio ditar tudo o que há pouco escrevi, com uma alegria especial, para manifestar que a divina Maria tem sido desconhecida até aqui, e essa é uma das razões pelas quais Jesus Cristo não é conhecido como lhe convém. Portanto, é certo que o conhecimento e o reino de Jesus Cristo apenas se concretizarão no mundo em decorrência necessária do conhecimento e do reino da Santíssima Virgem Maria, que o trouxe ao mundo pela primeira vez, e o manifestará de modo maravilhoso pela segunda.

CAPÍTULO I
Necessidade da devoção à Virgem Santíssima

14. Com toda a Igreja, confesso que Maria, nada mais sendo do que uma simples criatura que saiu das mãos do Altíssimo, se comparada a sua majestade infinita, é inferior a um átomo, ou melhor, é um nada, uma vez que somente Ele é "Aquele que é" e, por conseguinte, esse grande Senhor, desde sempre independente e suficiente a si mesmo, não teve e ainda não tem, de modo algum, necessidade da Virgem Santíssima para o cumprimento de sua vontade e a manifestação de sua glória. Basta-lhe apenas querer para que tudo se faça.

15. Entretanto, digo que, tomando as coisas como são, tendo Deus consentido em começar e concluir suas maiores obras pela Santíssima Virgem Maria, desde que a formou, deve-se crer que Ele não mudará de atitude nos séculos dos séculos, pois Ele é Deus e não muda, nem em seus sentimentos, nem em sua conduta.

Artigo primeiro: Princípios

I) Deus quis servir-se de Maria na Encarnação

16. Deus Pai não deu seu Filho único ao mundo senão por Maria. Não obstante os suspiros dados pelos patriarcas, os pedidos feitos pelos profetas e santos da antiga lei, durante quatro mil anos, para ter esse tesouro, foi só Maria quem o mereceu e encontrou graça diante de Deus, pela força de suas orações e a grandeza de suas virtudes. Sendo o mundo indigno de receber o Filho de Deus imediatamente das mãos do Pai – como disse Santo Agostinho –, Ele o deu a Maria, a fim de que o mundo o recebesse por ela. O Filho de Deus se fez homem para nossa salvação, mas em Maria e por Maria. Deus Espírito Santo formou Jesus Cristo em Maria, mas só depois de ter pedido seu consentimento, por um dos primeiros-ministros de sua corte.

17. Deus Pai comunicou a Maria sua fecundidade, na medida em que convinha a uma simples criatura, para lhe dar o poder de gerar seu Filho e todos os membros de seu Corpo místico.

18. Deus Filho desceu ao seio virginal de Maria, como o novo Adão em seu paraíso terreno, para aí encontrar suas alegrias e realizar em segredo maravilhas de graça. Esse Deus feito homem encontrou sua liberdade ao se ver prisioneiro em seu seio; Ele manifestou sua força ao deixar-se carregar por essa jovem; encontrou sua glória e a glória de seu Pai ao esconder suas maravilhas a todas as criaturas deste mundo, para revelá-las apenas a Maria; glorificou sua independência e sua majestade ao depender dessa Virgem amável em sua concepção, em seu nascimento, em sua apresentação ao Templo, em sua vida por trinta anos oculta, até em sua morte, à qual ela devia assistir, e para ser imolado por seu consentimento ao Pai eterno, como outrora Isaac, pelo consentimento de Abraão, à vontade do Pai. Foi ela quem o amamentou, quem o nutriu, educou, dele cuidou e sacrificou-se por nós.

Ó admirável e incompreensível dependência de um Deus que o Espírito Santo não pôde deixar em silêncio no Evangelho – embora ele nos tenha escondido quase todas as coisas admiráveis que essa Sabedoria encarnada fez em sua vida escondida –, para nos mostrar seu valor e sua glória infinita. Jesus Cristo deu mais glória a Deus, seu Pai, pela submissão que teve a sua Mãe durante trinta anos, do que teria dado se convertesse a terra pela operação das maiores maravilhas. Oh! Quão imensamente glorificamos a Deus ao nos submetermos, para agradá-lo, a Maria, a exemplo de Jesus Cristo, nosso único modelo!

19. Se examinarmos de perto o resto da vida de Jesus Cristo, veremos que ele quis iniciar seus milagres por Maria. Ele santificou São João no seio de sua santa mãe Isabel pelas palavras de Maria; logo que ela falou, João foi santificado, e esse foi seu primeiro e maior milagre de graça. Nas bodas de Caná, Ele transformou a água em vinho, após seu humilde pedido, e esse foi seu primeiro milagre de natureza. Ele começou e continuou a operar milagres por Maria, e continuará a operá-los até o fim dos séculos por Maria.

20. O Espírito Santo, estando estéril em Deus, ou seja, sem produzir outra pessoa divina, tornou-se fecundo por meio de Maria, a quem Ele desposou. Foi com ela, nela e a partir dela que Ele produziu sua obra-prima, que é um Deus feito homem, e que Ele forma, todos os dias, até o fim do mundo, os predestinados e os membros do corpo desse chefe adorável: é por isso que, quanto mais Ele encontra Maria, sua Esposa amada e inseparável, numa alma, mais Ele se torna atuante e poderoso para formar Jesus Cristo nessa alma e essa alma em Jesus Cristo.

21. Não queremos dizer que a Santíssima Virgem Maria dá ao Espírito Santo a fecundidade, como se Ele já não a tivesse, pois, sendo Deus, Ele tem a fecundidade ou a capacidade de gerar, como o Pai e o Filho, embora não a reduza ao ato, não gerando outra Pessoa divina. Mas queremos dizer que o Espírito Santo, por intermédio da Santíssima Virgem, de quem quer se servir, ainda que não precise dela, reduz ao ato sua fecundidade, produzindo nela e por ela Jesus Cristo e seus membros. Mistério da graça, desconhecido mesmo aos mais sábios e espirituais dos cristãos.

II) Deus quer servir-se de Maria para santificar as almas

22. A conduta que as três Pessoas da Santíssima Trindade tiveram na Encarnação e na primeira vinda de Jesus Cristo continua sendo a mesma todos os dias, de uma maneira invisível, na Santa Igreja, e continuará a sê-lo, até a consumação dos séculos, na última vinda de Jesus Cristo.

23. Deus Pai fez um conjunto de todas as águas, o qual chamou de mar; fez um conjunto de todas as graças, ao qual chamou Maria. Esse grande Deus tem um tesouro ou estabelecimento muito rico, onde reuniu tudo o que tem de belo, admirável, raro, precioso, inclusive seu próprio Filho; e esse tesouro imenso nada mais é do que Maria, a quem os santos chamam tesouro do Senhor, de cuja plenitude os homens foram enriquecidos.

24. Deus Filho comunicou a sua Mãe tudo aquilo que conquistou por sua vida e por sua morte, seus méritos infinitos e suas virtudes admiráveis, e a fez tesoureira de tudo aquilo que seu Pai lhe deu em herança; é por ela que Ele concede seus méritos a seus membros, que Ele comunica suas virtudes e distribui suas graças; ela é o canal misterioso, o aqueduto pelo qual Ele transmite de modo suave e abundante suas misericórdias.

25. Deus Espírito Santo transmitiu a Maria, sua fiel Esposa, seus dons inefáveis, elegendo-a dispensadora de tudo o que Ele possui, de modo que ela distribua a quem lhe aprouver, e tanto quanto desejar, como quiser e quando quiser, todos os seus dons e todas as suas graças, e Ele não concede nenhum de seus dons aos homens, sem antes fazê-los passar pelas mãos virginais de Maria. Com efeito, assim foi do agrado de Deus, que estabeleceu que nós tudo tenhamos por Maria, para que assim fosse enriquecida, elevada e honrada pelo Altíssimo aquela que, ao longo de toda a sua vida, se humilhou, permaneceu pobre e no mais completo anonimato, por sua profunda humildade. Tais foram os sentimentos da Igreja e dos santos Padres.

26. Se eu falasse a espíritos fortes deste tempo, provaria tudo o que digo simplesmente mediante a Sagrada Escritura e os santos Padres, citando longos trechos em latim, e por vários raciocínios bem fundamentados que se poderiam deduzir a partir da *Tríplice Coroa da Santíssima Virgem*, de R. P. Poiré. Mas como me dirijo particularmente aos pobres e aos simples, munidos de boa vontade e de mais fé que o comum dos sábios, crendo de maneira mais simples e com maior mérito, contento-me em declarar-lhes simplesmente a verdade, sem deter-me em citar-lhes todas as passagens latinas, que eles não entendem, embora eu não deixe de fazer referência a algumas delas, sem detalhá-las muito. Prossigamos.

27. Uma vez que a graça aperfeiçoa a natureza, e a glória aperfeiçoa a graça, é certo que Nosso Senhor ainda é no céu tão Filho de Maria quanto foi na terra, conservando, por conseguinte, a submissão e a obediência do mais perfeito de todos os filhos, diante da melhor mãe dentre todas. Mas é preciso cuidado para não considerar nessa dependência algum rebaixamento ou imperfeição em Jesus Cristo, pois, estando Maria infinitamente abaixo de seu Filho, que é Deus, ela não exerce sua autoridade de Mãe sobre o Filho do mesmo modo pelo qual uma mãe deste mundo exerceria autoridade sobre o filho que está abaixo dela. Completamente transformada por Deus pela graça e a glória que transforma todos os santos nele, Maria não pede, não quer, nem faz nada que esteja em desacordo com a vontade eterna e imutável de Deus. Assim sendo, quando lemos nos escritos de

São Bernardo, São Bernardino, São Boaventura, entre outros, que, assim no céu como na terra, tudo, inclusive Deus, está submetido à Santíssima Virgem, a intenção deles é dizer que a autoridade que Deus dignou-se dar a ela é grande o bastante para fazer parecer que ela tem o mesmo poder de Deus, e que suas orações e pedidos são tão poderosos junto a Deus que acabam passando por mandamentos perante sua Majestade, que jamais resiste à oração de sua querida Mãe, porque ela é sempre humilde e em consonância com sua vontade.

Se Moisés, pela força de sua oração, deteve a cólera de Deus em relação aos israelitas, de uma maneira tão poderosa que esse Altíssimo e infinitamente misericordioso Senhor, sem poder resistir-lhe, disse que o deixasse enfurecer-se e punir aquele povo rebelde, que podemos pensar, com ainda maior razão, da oração da humilde Maria, a digníssima Mãe de Deus, que é mais poderosa junto a sua Majestade do que as orações e intercessões de todos os anjos e santos do céu e da terra?

28. Maria tem autoridade nos céus sobre os anjos e os bem--aventurados. Como recompensa por sua humildade profunda, Deus lhe deu o poder e a incumbência de assentar os santos sobre os tronos vazios dos quais os anjos apóstatas caíram por orgulho. Tal é a vontade do Altíssimo, que exalta os humildes, segundo a qual o céu, a terra e os infernos se dobrem, de boa vontade ou a contragosto, às ordens da humilde Maria, que Ele tornou a soberana do céu e da terra, a comandante de seus exércitos, a tesoureira de suas riquezas, a dispensadora de suas graças, a operária de suas grandes maravilhas, a reparadora do gênero humano, a mediadora dos homens, a exterminadora dos inimigos de Deus e a fiel companheira de suas grandezas e de suas vitórias.

29. Deus Pai quer conquistar filhos por Maria, até o fim do mundo, e lhe diz estas palavras: *In Jacob inhabita* ("Habita em

Jacó", Eclo 24,13), ou seja, "faz morada e residência em meus filhos e predestinados, simbolizados por Jacó, e não nos filhos do diabo e nos reprovados, simbolizados por Esaú".

30. Assim como para a geração natural e corporal são necessários um pai e uma mãe, na geração sobrenatural e espiritual há um pai, que é Deus, e uma mãe, que é Maria. Todos os autênticos filhos de Deus e os predestinados têm Deus como pai e Maria como mãe; e quem não tem Maria como mãe não tem Deus como pai. Por isso, os réprobos, como os hereges, cismáticos etc., que odeiam ou olham com desprezo ou indiferença para a Santíssima Virgem Maria, não têm Deus como pai, embora se gloriem disso, pois não têm Maria como mãe: pois, se a tivessem por mãe, a amariam e honrariam como um verdadeiro e bom filho naturalmente ama e honra sua mãe, que lhe deu a vida.

O sinal mais infalível e assertivo para distinguir um herege, um homem de má doutrina, um réprobo, de um predestinado é que o herege e o réprobo nada mais têm do que desprezo ou indiferença pela Santíssima Virgem Maria, esforçando-se por, mediante palavras e ações, tolher o culto e o amor a ela, abertamente ou às escondidas, ou mesmo com belos pretextos. Que pena! Deus Pai não pediu a Maria que fizesse morada neles, uma vez que são aqueles que Esaú representa.

31. Deus Filho quer se formar e, por assim dizer, se encarnar todos os dias, por sua querida Mãe, em seus membros, de modo que disse a ela: *In Israel hereditare* ("Recebe Israel como herança", Eclo 24,13). É como se Ele dissesse: "Deus, meu Pai, me deu todas as nações da terra como herança; todos os homens, bons e maus, predestinados e reprovados; conduzirei alguns pelo cajado de ouro e os outros pelo cajado de ferro; serei o pai e o advogado de uns, o justo vingador dos outros, e o juiz de todos; quanto a ti, minha querida Mãe, terás como herança e possessão apenas os predestinados, representados por Israel; e como sua boa mãe, tu os darás à luz, nutrirás, educarás; e como sua soberana, os conduzirás, governarás e defenderás".

32. "Um homem e um homem nasceram nela" (*Homo et homo natus est in ea*), diz o Espírito Santo. De acordo com a explicação de alguns Padres, o primeiro homem que nasceu em Maria é o Homem-Deus, Jesus Cristo; o segundo é um homem puro, filho de Deus e de Maria, por adoção. Se Jesus Cristo, o chefe dos homens, nasceu nela, os predestinados, que são os membros desse chefe, também devem nascer nela como consequência necessária. Uma mesma mãe não põe no mundo a cabeça ou o chefe sem os membros, nem os membros sem a cabeça; caso contrário, tal seria uma aberração da natureza; de igual maneira, na ordem da graça, o chefe e os membros nascem de uma mesma mãe; e se um membro do corpo místico de Jesus, ou seja, um predestinado, nascesse de outra mãe que não Maria, que gerou o chefe, tal não seria um predestinado, nem um membro de Jesus Cristo, mas uma aberração na ordem da graça.

33. Por outro lado, sendo Jesus Cristo, hoje e sempre, o fruto de Maria, e como o céu e a terra lhe dirigem as seguintes palavras, mais de mil vezes todos os dias: "E bendito é o fruto do vosso ventre, Jesus", é certo que Jesus Cristo é, para cada homem que o possui, em particular, tanto quanto para todo o mundo, em geral, verdadeiramente o fruto e a obra de Maria, de tal modo que, quando um fiel tem Jesus Cristo formado em seu coração, pode dizer com intrepidez: "Agradeço muito a Maria, pois o que possuo é efeito e fruto dela, e sem ela não o teria". Assim, pode-se atribuir a ela, com ainda maior legitimidade, as palavras que São Paulo usa para si: *Quos iterum parturio, donec in vobis formetur Christus* ("Meus filhos, por vocês eu sofro de novo as dores de parto, até que Cristo se forme em vocês",

Gl 4,19). Superando-se a si mesmo, e tudo o que acabo de dizer, Santo Agostinho afirma que todos os predestinados, para se tornarem conformes à imagem do Filho de Deus, estão neste mundo escondidos no seio da Santíssima Virgem Maria, onde crescem, são protegidos, mantidos e nutridos por essa Mãe bondosa, até que ela os dê à luz da glória, após a morte, que é propriamente o dia de seu nascimento, conforme a Igreja chama a morte dos justos. Ó mistério de graça, oculto aos réprobos e pouco conhecido pelos predestinados!

34. Deus Espírito Santo quer formar para si eleitos, nela e por ela, e lhe diz: "*In electis meis mitte radices* ('Lança raízes em meus eleitos', Eclo 24,13). Minha bem-amada e minha Esposa, lança as raízes de todas as tuas virtudes em meus eleitos, para que cresçam em virtude e em graça. Em ti coloquei o meu agrado, quando vivias na terra, praticando as virtudes mais sublimes, de tal modo que ainda desejo te encontrar na terra, sem deixar de estar no céu. Para isso, reproduze-te nos meus eleitos: que eu veja neles, com satisfação, as raízes de tua fé invencível, de tua humildade profunda, de tua mortificação universal, de tua oração sublime, de tua caridade ardente, de tua esperança firme e de todas as tuas virtudes. Continuas a ser, mais do que nunca, minha Esposa tão fiel, tão pura e fecunda: que tua fé me conceda fiéis; que tua pureza me conceda virgens; que tua fecundidade me conceda eleitos e templos".

35. Quando lança raízes numa alma, Maria ali produz maravilhas de graças, como só ela pode fazer, uma vez que só ela é a Virgem fecunda que não tem, nem nunca terá alguém que a ela se compare em pureza e fecundidade. Com o Espírito Santo, Maria produziu a maior maravilha que já houve e que jamais haverá: um Homem-Deus, e consequentemente produzirá as maiores coisas que virão nos últimos dias. A ela estão reservadas a formação e a educação dos grandes santos que estarão no fim do mundo, pois somente essa Virgem maravilhosa e singular pode produzir, unida ao Espírito Santo, coisas singulares e extraordinárias.

36. Tendo-a encontrado numa alma, o Espírito Santo, seu Esposo, vai-lhe ao encontro, ali entrando plenamente e se comunicando a essa alma em abundância e tanto quanto ela [Maria] concede a seu Esposo; e uma das maiores razões pelas quais o Espírito Santo não realiza hoje maravilhas extraordinárias nas almas é o fato de não encontrar nelas uma união suficientemente grande com sua Esposa inseparável e fiel. Digo: inseparável Esposa, pois, desde que esse Amor substancial do Pai e do Filho desposou Maria para produzir Jesus Cristo, o chefe dos eleitos, e Jesus Cristo nos eleitos, jamais a repudiou, pois ela sempre foi fiel e fecunda.

Artigo segundo: Consequências

I) Maria é a Rainha dos corações

37. De tudo o que acabo de dizer, deve-se concluir claramente: em primeiro lugar, que Maria recebeu de Deus um grande domínio sobre as almas dos eleitos; de fato, ela não pode fazer nelas sua morada, como Deus Pai lhe ordenou; formá-los, nutri-los e gerá-los para a vida eterna, como sua mãe; tê-los como sua herança e sua porção, formá-los em Jesus Cristo e Jesus Cristo neles; lançar em seus corações as raízes de suas virtudes, e ser a companheira inseparável do Espírito Santo em todas essas obras de graças; repito, ela não pode fazer todas essas coisas se não tiver direito e domínio sobre suas almas por uma graça singular do Onipotente, que, tendo-lhe dado poder sobre Seu Filho único e legítimo, também lhe deu poder sobre Seus filhos adotivos, não apenas sobre seus corpos, o que seria pouca coisa, mas também sobre suas almas.

38. Pela graça, Maria é a Rainha do céu e da terra, assim como Jesus é o Rei por natureza e conquista. Ora, como o reino de Jesus Cristo reside principalmente no coração ou interior do homem, de acordo com as seguintes palavras: *O Reino de Deus está dentro de vós*, o reino da Santíssima Virgem está principalmente no interior do homem, ou seja, em sua alma, de modo que é principalmente nas almas que ela é glorificada com seu Filho, mais do que em todas as criaturas visíveis, e podemos chamá-la, junto com os santos, de *Rainha dos corações.*

II) Maria é necessária aos homens, a fim de alcançarem seu fim último

39. Em segundo lugar, deve-se concluir que a Santíssima Virgem, por ser necessária a Deus, necessidade essa que se pode chamar de hipotética, em razão de sua vontade, é bem mais necessária aos homens, para que cheguem a seu fim último. Portanto, não se deve misturar a devoção à Virgem Santíssima com as devoções aos outros santos, como se a devoção a ela não fosse a mais necessária, e consistisse apenas numa devoção a mais.

40. O douto e piedoso Suarez, da Companhia de Jesus, o sábio e devoto Justus Lipsius, doutor de Louvain, e muitos outros provaram irrefutavelmente, seguindo os sentimentos dos Padres – entre os quais Santo Agostinho, Santo Efrém, diácono de Edessa, São Cirilo de Jerusalém, São Germano de Constantinopla, São João Damasceno, Santo Anselmo, São Bernardo, São Bernardino, São Tomás de Aquino e São Boaventura –, que a devoção à Virgem Santíssima é necessária à salvação, sendo uma marca infalível de reprovação – mesmo na opinião de Ecolampádio e outros – não ter amor e estima pela Virgem Santa, e que, ao contrário, é marca indelével de predestinação dela ser devoto total e verdadeiramente dedicado.

41. As figuras e palavras do Antigo e do Novo Testamento dão prova disso, que as intuições e os exemplos dos santos confirmam, e que a razão e a experiência aprendem e demonstram. O próprio diabo e seus seguidores, pressionados pela força da verdade, amiúde se viram obrigados a confessá-lo com desprazer. De todas as páginas dos santos Padres e Doutores que recolhi para provar essa verdade, cito somente uma, para não me alongar em demasia: *Tibi devotum esse, est arma quaedam salutis quae Deus his dat quos vult salvos fieri* ("Ser teu devoto, ó Virgem Santa, é uma arma de salvação que Deus dá àqueles que deseja salvar", diz São João Damasceno).

42. Eu poderia apresentar aqui várias histórias que provam a mesma coisa, entre as quais:

1) a que é narrada nas crônicas de São Francisco, que viu, durante um êxtase, uma grande escada que subia até o céu e em cuja extremidade estava a Santíssima Virgem; foi-lhe mostrado ser necessário subir por ela para chegar ao céu;
2) a que é referida nas crônicas de São Domingos, quando doze mil demônios, possuindo a alma de um infeliz herege perto de Carcassone, onde São Domingos estava pregando o Rosário, foram obrigados, para grande confusão deles, pelo mandamento que lhes deu a Santíssima Virgem, a confessar inúmeras verdades, grandes e consoladoras, relativas à devoção à Virgem Santa, com tamanha força e clareza que não podemos ler essa história autêntica e o panegírico que o diabo fez a contragosto da devoção à Santíssima Virgem sem verter lágrimas de alegria, por menos devoto que sejamos da Santíssima Virgem.

43. Se a devoção à Santíssima Virgem é necessária a todos os homens, para simplesmente levá-los à salvação,[1] ela o é ainda muito mais àqueles que são chamados a uma perfeição particular; e não creio que uma pessoa possa alcançar uma união íntima com Nosso Senhor e uma fidelidade perfeita ao Espírito Santo sem uma união muito grande com a Santíssima Virgem e uma grande dependência de seu socorro.

44. Foi Maria somente quem encontrou graça diante de Deus, sem auxílio de nenhuma outra simples criatura. Não foi senão por ela que todos aqueles que encontraram graça diante de Deus depois dela puderam fazê-lo, e não será senão por ela que todos aqueles que vierem depois poderão encontrá-la. Ela estava cheia de graça quando foi saudada pelo arcanjo Gabriel, e foi preenchida sobremaneira de graça pelo Espírito Santo quando Ele a cobriu com sua sombra inefável; e ela aumentou de tal modo, dia a dia [e] de momento a momento, essa dupla plenitude que chegou a um ponto de graça imensa e inconcebível; desse modo, o Altíssimo fez dela a única tesoureira de suas riquezas e a única dispensadora de suas graças, para enobrecer, elevar e enriquecer quem ela quiser, para fazer passar, apesar de tudo, quem ela quiser pela porta estreita da vida, e para dar o trono, o cetro e a coroa de rei a quem ela quiser. Jesus é sempre e em toda parte o fruto e o Filho de Maria; e Maria é em toda parte a árvore verdadeira que dá o fruto da vida, e a verdadeira mãe que o produz.

45. Foi a Maria apenas que Deus deu as chaves dos celeiros do amor divino e o poder de entrar nas veredas mais sublimes e secretas da perfeição, bem como o de fazer outros nelas entrar. É

---

[1] No original, "pour faire simplement leur salut", o que literalmente se deveria traduzir como "para simplesmente fazer sua salvação". (N.T.)

Maria somente quem dá aos miseráveis filhos da infiel Eva entrada no paraíso terrestre, para aí passear agradavelmente com Deus, para aí se esconder em segurança de seus inimigos e se nutrir deliciosamente, e sem mais temer a morte, do fruto das árvores da vida e da ciência do bem e do mal, e para aí beber em grandes goles as águas celestes desta belíssima fonte que aí renasce em abundância; ou então, de preferência, como ela mesma é esse paraíso terrestre, ou essa terra virgem e bendita da qual Adão e Eva pecadores foram expulsos, ela não deixa entrar junto a si senão aqueles e aquelas que lhe aprouverem, para torná-los santos.

46. Todos os ricos do povo, para empregar a expressão do Espírito Santo, conforme explicação de São Bernardo, todos os ricos do povo suplicarão vossa face através dos séculos, e de modo particular no fim do mundo, ou seja, os maiores santos, as almas mais ricas de graça e de virtudes, serão os mais assíduos na oração à Santíssima Virgem, tendo-a sempre presente como o perfeito modelo a ser imitado, como o poderoso auxílio para socorrê-los.

47. Eu disse que isso aconteceria de modo particular no fim do mundo, e logo, porque o Altíssimo e sua santa Mãe devem formar para si grandes santos que ultrapassarão em santidade a maior parte dos outros santos, tanto quanto os cedros do Líbano ultrapassam os pequenos arbustos, como foi revelado a uma santa alma cuja vida foi narrada por Dom de Renty.

48. Essas grandes almas, cheias de graça e de zelo, serão escolhidas para se opor aos inimigos de Deus, que tremerão de todos os lados, e serão especialmente devotadas à Santíssima Virgem, iluminadas por sua luz, nutridas por seu leite, conduzidas por seu espírito, sustentadas por seu braço e guardadas sob sua proteção, de modo que combaterão com uma mão e edificarão com a outra. Com uma mão, elas combaterão, derrubarão, esmagarão os heréticos com suas heresias, os cismáticos com seus cismas, os idólatras com sua idolatria e os pecadores com suas impiedades; e, com a outra mão, elas edificarão o templo do verdadeiro Salomão e mística cidade de Deus, ou seja, a Santíssima Virgem, chamada pelos santos Padres de *templo de Salomão e cidade de Deus.* Eles levarão o mundo todo, por suas palavras e exemplos, à verdadeira devoção a Maria, o que os fará ganhar muitos inimigos, mas também muitas vitórias e glórias para Deus somente. Foi o que Deus revelou a São Vicente Ferrer, grande apóstolo de seu século, conforme está suficientemente marcado em sua obra. Foi o que o Espírito Santo parece ter predito no Salmo 58, cujas palavras são as seguintes: *Et scient quia Dominus dominabitur Jacob et finium terrae; convertentur ad vesperam, et famem patientur ut canes, et circuibunt civitatem* (O Senhor reinará em Jacó e em toda a terra; eles se converterão ao alvorecer e padecerão de fome como os cães, e circundarão a cidade para buscar de que comer). Essa cidade que os homens circundarão no fim do mundo, para converter-se, e para saciar a fome de justiça que terão, é a Santíssima Virgem, que é chamada pelo Espírito Santo de *vila e cidade de Deus.*

49. Foi por Maria que a salvação do mundo teve início e, por ela, deve consumar-se. Maria praticamente não apareceu na primeira vinda de Jesus Cristo, para que os homens, ainda pouco instruídos e esclarecidos sobre a pessoa de seu Filho, não se distanciassem da Verdade, apegando-se a ela de um modo demasiado forte e grosseiro, o que aparentemente teria acontecido se ela tivesse sido conhecida, em razão dos encantos admiráveis com que o Altíssimo a revestiu mesmo exteriormente. Isso é tão verdadeiro que Dionísio, o Areopagita, nos deixou escrito que, quando a viu, poderia tê-la tomado por uma divindade, por causa de seus encantos secretos e de sua beleza incomparável, se a fé, na qual estava bem firmado, não tivesse lhe ensinado o contrário. Contudo, na segunda vinda de Jesus, Maria deve ser conhecida e revelada pelo Espírito Santo, a fim de que, por ela, se conheça, se ame e se sirva Jesus Cristo, razões essas que levaram o Espírito Santo a ocultar sua Esposa em vida, e a não revelá-la senão muito pouco depois da pregação do Evangelho.

50. Portanto, Deus quer revelar e mostrar Maria, a obra-prima de suas mãos, nestes últimos tempos:

1) Pois ela se escondeu neste mundo e se colocou mais baixo que o pó da terra, por sua humildade profunda, obtendo de Deus, de seus apóstolos e dos evangelistas, não ser manifestada [em vida].
2) Porque, sendo a obra-prima das mãos de Deus, assim na terra, pela graça, como no céu, pela glória, ele quer ser glorificado e louvado por todos os viventes deste mundo através dela.
3) Por ser a aurora que precede e manifesta o Sol de justiça, que é Jesus Cristo, ela deve ser conhecida e percebida, a fim de que Jesus Cristo também o seja.
4) Sendo a estrada pela qual Jesus Cristo veio até nós pela primeira vez, também o será quando ele vier pela segunda vez, contudo não da mesma maneira.
5) Sendo o meio certo e a estrada reta e imaculada para ir até Jesus Cristo e encontrá-lo perfeitamente, é por ela que as almas santas, que haverão de fulgurar de santidade, devem encontrá-la. Aquele que encontrar Maria, encontrará a vida, ou seja, Jesus Cristo, que é o Caminho, a Verdade e a Vida. Mas não é possível encontrar Maria sem procurá-la, nem procurá-la sem conhecê-la: pois não se pode procurar nem desejar algo desconhecido. Logo, é preciso que Maria seja mais conhecida do que nunca, para máxima glória e conhecimento da Santíssima Trindade.

6) Maria deve fulgurar, mais do que nunca, em misericórdia, em força e em graça nestes últimos tempos: em misericórdia, para reconduzir e receber afetuosamente os pobres pecadores e transviados que se converterem e voltarem à Igreja Católica; em força, contra os inimigos de Deus, os idólatras, os cismáticos, maometanos, judeus e ímpios de coração duro, que se revoltarão terrivelmente para seduzir e derrubar, mediante promessas e ameaças, todos os que a eles se opuserem; e, finalmente, ela há de fulgurar em graça, a fim de animar e sustentar os valorosos soldados e fiéis servidores de Jesus Cristo, que lutarão por seus interesses.
7) Por fim, Maria deve ser terrível contra o diabo e seus apoiadores, como um exército bem posicionado em campo de batalha, principalmente nestes últimos tempos, porque o diabo, estando bem ciente de que lhe resta pouco tempo, e muito menos do que nunca, para perder as almas, redobra todos os dias seus esforços e combates; logo ele suscitará cruéis perseguições, e colocará terríveis armadilhas aos servos fiéis e aos verdadeiros filhos de Maria, que ele tem mais dificuldade de subjugar do que os outros.

51. É principalmente em referência a estas últimas e cruéis perseguições do diabo, que aumentarão todos os dias, até [se estabelecer] o reino do Anticristo, que se deve entender aquela primeira e célebre predição e maldição de Deus, proferida no paraíso terrestre contra a serpente. Convém explicá-la aqui, para a glória da Santíssima Virgem, a salvação de seus filhos e a confusão do diabo. *Inimicitias ponam inter te et mulierem, et semen tuum et semen illius; ipsa conteret caput tuum, et tu insidiaberis calcaneo ejus* (Gn 3,15): "Porei inimizade entre ti e a mulher, entre tua raça e a dela; ela mesma te esmagará a cabeça, e colocarás trapaças a seu calcanhar".

52. Deus jamais fez e formou senão uma inimizade, porém irreconciliável, que durará e mesmo aumentará até o fim: foi entre Maria, sua digníssima Mãe, e o diabo; entre os filhos e servidores da Santíssima Virgem e os filhos e seguidores de Lúcifer; de modo que, dentre os inimigos que Deus fez contra o diabo, a mais terrível inimiga é Maria, sua santa Mãe. Ele inclusive lhe deu, já desde o paraíso terrestre, embora ela ainda estivesse apenas em seu projeto, tanto ódio contra esse maldito inimigo de Deus, tanta argúcia para descobrir a malícia dessa velha serpente, tanta força para vencer, abater e aniquilar esse ímpio cheio de orgulho, que ele a teme mais não somente que a todos os anjos e homens, mas, em certo sentido, que ao próprio Deus. Isso não quer dizer que a ira, o ódio e o poder de Deus não sejam infinitamente maiores que os de Maria, porquanto as perfeições de Maria são limitadas; mas, em primeiro lugar, deve-se ao fato de que Satanás, sendo orgulhoso, sofre infinitamente mais por ser punido e vencido por uma serva pequena e humilde de Deus, e a humildade dela o humilha mais que o poder divino; em segundo lugar, porque Deus concedeu a Maria tão grande poder contra os demônios que lhes causa mais pavor – conforme muitas vezes foram obrigados a reconhecer, a contragosto, pelos lábios de possuídos – apenas um de seus suspiros por alguma alma do que as orações de todos os santos, e só uma de suas ameaças contra eles do que os outros tormentos deles todos.

53. Aquilo que Lúcifer perdeu por orgulho, Maria ganhou pela humildade; o que Eva danou e perdeu pela desobediência, Maria salvou pela obediência. Eva, ao obedecer à serpente, perdeu consigo todos os seus filhos, entregando-os a esta; Maria, tornando-se perfeitamente fiel a Deus, salvou consigo todos os seus filhos e servidores, consagrando-os à divina Majestade.

54. Deus não colocou somente uma inimizade, mas várias *inimizades*, não apenas entre Maria e o demônio, mas entre a progênie da Santíssima Virgem e a descendência do demônio; isso quer dizer que Deus colocou inimizades, antipatias e ódios secretos entre os verdadeiros filhos e servidores da Santíssima Virgem e os filhos e escravos do diabo; eles não se amam mutuamente, e não têm empatia entre si. Os filhos de Belial, os escravos de Satã, os amigos do mundo (pois se trata da mesma coisa) sempre perseguiram, até hoje, e continuarão a perseguir mais do que nunca aqueles e aquelas que pertencem à Santíssima Virgem, como outrora Caim perseguiu seu irmão Abel, e Esaú, seu irmão Jacó. Esses são figuras dos reprovados e dos predestinados. Mas a humilde Maria terá sempre a vitória sobre esse arrogante, e será tamanha a vitória que ela acabará por esmagar-lhe a cabeça, onde reside seu orgulho; ela descobrirá sempre seus artifícios infernais, dissipará seus conselhos diabólicos e defenderá seus fiéis, até o fim dos tempos, das garras cruéis do inimigo.

Mas o poder de Maria sobre todos os demônios se manifestará particularmente nos últimos tempos, quando Satanás lhe colocar armadilhas ao calcanhar, ou seja, a seus humildes escravos e a seus pobres filhos, que ela suscitará para travar-lhe guerra. Eles serão pequenos e pobres aos olhos do mundo, e rebaixados diante de todos, como o calcanhar, atacados e perseguidos como o calcanhar o é em relação aos outros membros do corpo; mas, correspondentemente, eles serão ricos da graça de Deus, que Maria lhes distribuirá em abundância; serão grandes e elevados em santidade diante de Deus, superiores a toda criatura por seu zelo inflamado e de tal modo apoiados pelo socorro divino que, com a humildade de seus calcanhares, unidos a Maria, esmagarão a cabeça do diabo e farão triunfar Jesus Cristo.

55. Enfim, Deus quer que sua santa mãe se torne mais conhecida, mais amada, mais honrada do que nunca, o que certamente acontecerá se os predestinados entrarem, com a graça e a luz do Espírito Santo, na prática interior e perfeita que eu lhes revelarei a seguir. Em consequência, eles verão com clareza, tanto quanto a fé lhes permitir, esta bela "estrela do mar", e alcançarão porto seguro, apesar das tempestades e piratas, ao seguir sua direção. Eles conhecerão as grandezas desta soberana e se consagrarão inteiramente a seu serviço, como seus súditos e escravos de amor. Eles saborearão suas delícias e bondades maternais, e a amarão ternamente, como seus filhos queridos. Conhecerão as misericórdias das quais ela está plena e as necessidades em que estão de seu socorro, e recorrerão a ela em todas as circunstâncias, como a uma querida advogada e medianeira junto a Jesus Cristo. Eles saberão que ela é o meio mais garantido, mais tranquilo, mais curto e mais perfeito para ir até Jesus Cristo, e se entregarão a ela de corpo e alma, sem divisão, a fim de serem igualmente de Jesus Cristo.

56. Mas quem serão esses servos, escravos e filhos de Maria?

Serão um fogo abrasador, ministros do Senhor que difundirão o fogo do amor divino por toda parte. Serão *sicut sagittae in manu potentes* (Sl 126,4), flechas pontiagudas nas mãos da poderosa Maria, para penetrar seus inimigos.

Serão filhos de Levi, devidamente purificados pelo fogo de grandes tribulações e bem unidos a Deus, que trarão o ouro do amor divino no coração, o incenso da oração no espírito e a mirra da mortificação no corpo, e serão por toda parte o perfume de Jesus Cristo aos pobres e aos pequenos, mas um odor de morte aos grandes, aos ricos e aos orgulhosos do mundo.

57. Serão nuvens trovejantes a voar pelo céu ao menor sopro do Espírito Santo que, sem prender-se a nada, nem admirar-se de nada, nem atribular-se por nada, espalharão a chuva da Palavra de Deus e da vida eterna; seus raios serão lançados contra o pecado, com repreensões contra o mundo, abaterão o diabo e seus sequazes, e penetrarão, para a vida ou para a morte, com o gládio de dois gumes da Palavra de Deus, todos aos quais serão enviados pelo Altíssimo.

58. Serão autênticos apóstolos dos últimos tempos, aos quais o Senhor das virtudes dará a palavra e a força para operar maravilhas e triunfar de maneira gloriosa sobre os seus inimigos. Dormirão sem ouro nem prata e, melhor ainda, sem conforto, em meio a outros padres, eclesiásticos e clérigos, *inter medios cleros* (Sl 67,14); e, contudo, terão as asas prateadas da pomba, para ir, com a pura intenção da glória de Deus e da salvação das almas, aonde o Espírito Santo as enviar, e não deixarão para trás, nos locais em que tiverem pregado, senão o ouro da caridade, que é o cumprimento de toda a lei (Rm 13,10).

59. Sabemos, enfim, que serão verdadeiros discípulos de Jesus Cristo, seguindo as pegadas de sua pobreza, humildade, desprezo do mundo e caridade, ensinando a porta estreita de Deus na pura verdade, segundo o santo Evangelho, e não de acordo com as máximas do mundo, sem atribular-se nem fazer distinção de ninguém, sem poupar, escutar nem temer qualquer mortal, por mais poderoso que seja. Terão na boca o gládio de dois gumes da Palavra de Deus; sobre os ombros, o estandarte lavado no sangue da Cruz; o crucifixo na mão direita, e o terço na esquerda; os sagrados nomes de Jesus e de Maria nos corações, a humildade e a mortificação de Jesus Cristo no modo de agir.

Tais são os grandes homens que virão, mas que Maria conclamará, por ordem do Altíssimo, para estender seu império sobre aquele dos ímpios, idólatras e maometanos. Todavia, quando e como isso tudo se dará? Somente Deus o sabe: é nosso dever guardar silêncio, orar, suspirar e esperar: *Expectans expectavi* (Sl 39,2: "Esperando, esperei no Senhor!").

CAPÍTULO II

Verdades fundamentais da devoção à Santíssima Virgem

60. Tendo dito, até o presente instante, algo sobre a necessidade que temos da devoção à Santíssima Virgem, é preciso dizer em que consiste essa devoção, e é isso o que farei agora, com a ajuda de Deus, depois de tomar como pressupostos algumas verdades fundamentais, que darão claridade a essa grande e sólida devoção, que quero revelar.

Artigo primeiro: "Jesus Cristo é o fim último de todas as nossas devoções"

61. *Primeira verdade.* Jesus Cristo nosso Salvador, verdadeiro Deus e verdadeiro homem, é o fim último de todas as nossas devoções: caso contrário, elas seriam falsas e enganadoras. Conforme diz o Apóstolo, nós não trabalhamos senão para tornar todos os homens perfeitos em Jesus Cristo, pois é nele somente que habitam toda a plenitude da divindade e todas as outras plenitudes de graças, de virtudes e perfeições; pois é nele somente que fomos abençoados com toda sorte de bênção espiritual; pois ele é o único Mestre que deve nos ensinar, o único Senhor de quem devemos aprender, o único chefe ao qual devemos estar unidos, o único modelo ao qual devemos nos conformar, o único pastor que deve nos alimentar, o único caminho que deve nos orientar, a única verdade na qual devemos crer, a única vida que deve nos vivificar e nosso único tudo, em todas as coisas, que há de nos bastar. Não foi dado outro nome sob o céu, a não ser o nome de Jesus, pelo qual devamos ser salvos. Deus não estabeleceu outro fundamento para nossa salvação, perfeição e glória que não fosse Jesus Cristo: todo edifício que não estiver assentado sobre essa rocha firme está fundado sobre areia movediça e inevitavelmente cairá, cedo ou tarde. Todo fiel que não estiver unido a ele como um ramo à cepa da vinha cairá, secará e não será adequado senão a ser lançado ao fogo. Se estamos em Jesus Cristo e Jesus Cristo em nós, não precisamos ter medo da condenação: nem os anjos dos céus, nem os homens da terra, nem os demônios dos infernos, nem qualquer outra criatura pode nos prejudicar, porquanto não pode separar-nos da caridade de Deus, que está em Jesus Cristo. Por Jesus Cristo, com Jesus Cristo, em Jesus Cristo, podemos todas as coisas: dar toda honra e toda glória ao Pai, na unidade do Espírito Santo; tornar-nos perfeitos e ser, para nosso próximo, agradável perfume de vida eterna.

62. Portanto, o fato de estabelecermos a sólida devoção à Santíssima Virgem não visa senão a tornar mais perfeita a devoção a Jesus Cristo, como também a dar um meio mais fácil e seguro para encontrar Jesus Cristo. Se a devoção à Santíssima Virgem nos distanciasse de Jesus Cristo, seria necessário rejeitá-la como ilusão do diabo; todavia, muito pelo contrário, como já tive a ocasião de mostrar e ainda o farei adiante: essa devoção não nos é necessária senão para encontrar Jesus Cristo de modo perfeito, amá-lo com ternura e servi-lo com fidelidade.

63. Por um instante volto-me aqui para vós, ó meu doce Jesus, para me queixar amorosamente junto a vossa divina Majestade pelo fato de a maior parte dos cristãos, mesmo dentre os mais sábios, não conhecerem o vínculo necessário que há entre vós e vossa santa Mãe. Vós estais, Senhor, sempre com Maria, e Maria está sempre convosco e não pode estar sem vós: caso contrário, ela deixaria de ser aquilo que é; pela graça, ela se transformou de tal modo em vós que ela não é mais: somente vós, meu Jesus, é que viveis e reinais nela, de modo mais perfeito do que em todos os anjos e bem-aventurados. Ah! Se as pessoas conhecessem a glória e o amor que recebeis nessa admirável criatura, teriam dela e de vós muitos outros sentimentos do que já têm. Ela está ligada a vós de modo tão íntimo que seria o mesmo que separar a luz do sol, o calor do fogo, digo mais: antes se separariam todos os anjos e santos de vós do que a divina Maria, porque Maria vos ama com maior ardor e vos glorifica com maior perfeição do que todas as vossas outras criaturas juntas.

64. Depois disso, meu doce Mestre, não é algo digno de pena e admiração ver a ignorância e as trevas de todos os homens deste mundo em relação a vossa santa Mãe? Não estou me referindo tanto aos idólatras e pagãos que, por não vos conhecerem, evitam conhecê-la; não estou falando nem mesmo dos hereges e cismáticos, que evitam se devotarem a vossa santa Mãe, tendo eles mesmos se separado de vós e de vossa santa Igreja; mas estou me referindo aos cristãos católicos, e mesmo aos doutores dentre os católicos que, declarando ensinar aos outros as verdades, não vos conhecem a vós, nem a vossa santa Mãe, senão de maneira especulativa, seca, estéril e indiferente. Esses senhores não falam senão raramente de vossa santa Mãe e da devoção que a ela se deve ter, porque receiam, segundo dizem, que de tal devoção se abuse e, por conseguinte, vos cause ofensa uma honra exagerada a vossa santa Mãe. Ao ver ou ouvir algum devoto da Santíssima Virgem falar com frequência da devoção a essa boa Mãe, de um modo terno, forte e persuasivo, como sendo meio garantido e sem ilusão, um caminho curto e sem perigo, um caminho imaculado e sem imperfeições, e um segredo maravilhoso para vos encontrar e amar perfeitamente, eles ralham contra ele, e lhe dão mil falsas razões para lhe provar que não se deve falar tanto da Santíssima Virgem, que há muitos excessos nessa devoção e que se deve esforçar-se por destruí-los e por falar só de vós, em vez de levar os povos à devoção a vossa santa Mãe, a quem já estes amam o bastante. Por vezes os ouvimos falar da devoção a vossa santa Mãe não para estabelecê-la e estimulá-la, mas para destruir os abusos que dela se faz, quando na verdade esses senhores são sem piedade e sem devoção terna por vós, porque também não as têm por Maria, olhando o rosário, o escapulário, o terço, como devoções de mulherzinha, próprias a ignorantes, sem as quais é possível salvar-se; e quando são responsáveis por algum devoto da Virgem Santa que costuma recitar seu terço ou pratica alguma outra devoção a ela, logo lhe mudarão o espírito e o coração: em vez do terço, vão lhe aconselhar rezar os sete Salmos; em vez da devoção à Santa Virgem, vão lhe aconselhar a devoção a Jesus Cristo. Ó meu doce Jesus, essas pessoas estão imbuídas de vosso espírito? Estão vos agradando ao agir assim? Significa agradar-vos o não fazer todo esforço possível para agradar vossa Mãe, com medo de vos desagradar? A devoção a vossa santa Mãe impede a devoção a vós? Por acaso ela atribui a si mesma a honra que lhe é prestada? Por acaso ela formou um grupo à parte? Por acaso ela é uma estranha que não tem ligação alguma convosco? Dar-se a ela e amá-la implicam necessariamente separar-se ou distanciar-se de vosso amor?

65. Entretanto, meu doce Mestre, a maior parte dos sábios, em punição de seu orgulho, não se afastaria mais da devoção a vossa santa Mãe e não a trataria com mais indiferença, ainda que tudo o que acabo de dizer fosse verdadeiro. Preservai-me, Senhor, preservai-me de seus sentimentos e práticas, e dai-me ter parte nos sentimentos de reconhecimento, estima, respeito e amor que tendes para com vossa santa Mãe, a fim de que eu vos ame e glorifique tanto mais quanto vos imitar e seguir mais de perto.

66. Como se até aqui eu ainda não tivesse dito nada em honra de vossa santa Mãe, dai-me a graça de louvá-la dignamente (*Fac me digne tuam Matrem collaudare*), apesar de todos os meus inimigos, que são os vossos, e que eu lhes diga alto e bom som com os santos: *Non praesumat aliquis Deum se habere propitium qui benedictam Matrem offensam habuerit* (Não presuma receber a misericórdia de Deus aquele que ofende sua santa Mãe).

67. Para obter de vossa misericórdia uma verdadeira devoção a vossa santa Mãe, e para inspirá-la a toda a terra, fazei que eu vos ame intensamente, e recebei para isso a oração abrasada que vos faço com Santo Agostinho e vossos verdadeiros amigos:

> *Tu es Christus, pater meus sanctus, Deus meus pius, rex meus magnus, pastor meus bonus, magister meus unus, adjutor meus optimus, dilectus meus pulcherrimus, panis meus vivus, sacerdos meus in aeternum, dux meus ad patriam, lux mea vera, dulcedo mea sancta, via mea recta, sapientia mea praeclara, simplicitas mea pura, concordia mea pacifica, custodia mea tota, portio mea bona, salus mea sempiterna... "Christe Jesu, amabilis Domine, cur amavi, quare concupivi in omni vita mea quidquam praeter te Jesum Deum meum? Ubi eram quando tecum mente non eram? Jam ex hoc nunc, omnia desideria mea, incalescite et effluite in Dominum Jesum; currite, satis hactenus tardastis; properate quo pergitis; quaerite quem quaeritis. Jesu, qui non amat te anathema sit; qui te non amat amaritudine repleatur... O dulcis Jesu, te amet, in te delectetur, te admiretur omnis sensus bonus tuae conveniens laudi. Deux cordis mei et pars mea, Christe Jesu, deficiat cor meum spiritu suo, et vivas tu in me, et concalescat in spiritu meo vivus carbo amoris tui, et excrescat in ignem perfectum; ardeat jugiter in ara cordis mei, ferveat in medullis meis, flagret in absconditis animae meae; in die consummationis meae consummatus inveniar apud te. Amen.*

[Tu és, Cristo, meu pai santo, meu Deus piedoso, meu grande rei, meu bom pastor, meu único Mestre, meu excelente auxiliador, meu bem-amado de beleza incomparável, meu pão vivo, meu sacerdote eterno, meu guia para a pátria, minha luz verdadeira, minha santa doçura, meu reto caminho, minha sabedoria preclara, minha simplicidade pura, minha concórdia pacífica, toda a minha proteção, minha boa herança e minha salvação sempiterna...
Ó Cristo Jesus, doce Senhor, por que amei, por que desejei, em toda a minha vida, algo além de ti? Onde eu estava quando meu pensamento não estava em ti? A partir de agora, meus desejos todos, fluí e inflamai-vos pelo Senhor Jesus; correi, pois já tardastes demais; apressai-vos para onde vos dirigis; procurai de fato aquele que procurais.
Ó Jesus, quem não te ama seja excomungado; aquele que não te ama fique cheio de amarguras... Ó doce Jesus, que todo bom sentimento digno de teu louvor te ame, em ti se deleite e te admire. Deus de meu coração e minha herança, Cristo Jesus, meu espírito se abandona em ti, para que tu vivas em mim, e acendas em meu espírito a brasa fumegante de teu amor, a fim de que se torne perfeito incêndio, a arder perenemente no altar do meu coração, a ferver em minha medula, a consumir em chamas o mais íntimo de minha alma; para que no dia da consumação de minha vida, me apresente junto a ti completamente consumado. Amém.]

Quis transcrever em latim essa admirável oração de Santo Agostinho, a fim de que as pessoas que conhecem o latim a repitam todos os dias, pedindo o amor de Jesus que nós buscamos pela divina Maria.

Artigo segundo: Somos de Jesus Cristo e de Maria, na qualidade de escravos

68. *Segunda verdade.* Deve-se concluir, daquilo que Jesus Cristo é em relação a nós, que não pertencemos a nós mesmos, como afirma o Apóstolo, mas inteiramente a ele, como seus membros e escravos, que ele resgatou com preço infinitamente alto, com o preço de todo o seu sangue. Antes do batismo, pertencíamos ao diabo, como seus escravos, e o batismo nos tornou os legítimos escravos de Jesus Cristo, que não devem viver, trabalhar e morrer senão para dar frutos para esse Deus Homem, glorificá-lo em nosso corpo e fazê-lo reinar em nossa alma, porque somos sua aquisição, seu povo conquistado e sua herança. É pela mesma razão que o Espírito Santo nos compara:

1) a árvores plantadas junto às águas da graça, no campo da Igreja, que devem dar seus frutos a seu tempo;
2) aos ramos de uma videira da qual Jesus é a cepa, que devem produzir uvas boas;
3) a um rebanho do qual Jesus Cristo é o pastor, que deve multiplicar-se e dar muito leite;
4) a uma terra boa, da qual Deus é o lavrador, e na qual a semente se multiplica e produz até trinta, sessenta ou cem vezes mais.

Jesus Cristo amaldiçoou a figueira que não produzia frutos e proferiu condenação contra o servo inútil que não fizera seu talento render. Tudo isso nos prova que Jesus Cristo quer receber alguns frutos de nossas pessoas frágeis, a saber: nossas boas obras, pois estas pertencem unicamente a ele: *Creati in operibus bonis in Christo Jesu* (Criados nas boas obras em Jesus Cristo, Ef 2,10). Tais palavras do Espírito Santo mostram tanto que Jesus Cristo é o único princípio e deve ser o único fim de todas as nossas boas obras, como também que devemos servi-lo não somente enquanto empregados contratados, mas sobretudo como escravos de amor. Serei mais claro.

69. Neste mundo, há duas maneiras de pertencer a outro e depender de sua autoridade, a saber: a simples servidão e a escravidão, as quais definem, respectivamente, um servo e um escravo. Pela servidão comum entre os cristãos, um homem se dispõe a servir a outro, durante certo tempo, mediante certo pagamento ou alguma recompensa. Pela escravidão, um homem fica inteiramente dependente de outro por toda a vida, devendo servir a seu mestre, sem ter pretensão alguma de recompensa ou pagamento, como um de seus animais, sobre o qual ele tem direito de vida e de morte.

70. Existem três tipos de escravidão: uma escravidão por natureza, uma escravidão por obrigação e uma escravidão pela vontade. Todas as criaturas são escravas de Deus no primeiro sentido: *Domini est terra et plenitudo ejus* ("É do Senhor tudo o que existe na terra", Sl 23,1). Os demônios e os reprovados, no segundo sentido. Os justos e os santos, no terceiro. A escravidão pela vontade é a mais perfeita e a que mais glorifica a Deus, que olha o coração e pede o coração, e que se chama o Deus do coração, ou da vontade amorosa, uma vez que, por essa escravidão, faz-se a opção, acima de todas, por Deus e seu serviço, quando nem a natureza obrigaria a isso.

71. Existe uma completa diferença entre um servo e um escravo:

1) Um servo não dá a seu senhor tudo o que ele é e tudo o que possui, e tudo o que pode adquirir por meio de outro ou por si só; o escravo, porém, se dá por inteiro a seu senhor, dando também tudo o que possui e tudo o que pode conseguir, sem qualquer exceção.

2) O servo espera pagamento pelos serviços prestados ao senhor, mas o escravo nada pode exigir, independentemente de sua assiduidade, destreza e força empenhadas no trabalho.
3) O servo pode deixar seu patrão quando quiser, ou pelo menos quando o tempo de seu serviço tiver expirado; mas o escravo não tem o direito de deixar seu senhor quando bem entender.
4) O patrão do servo não tem sobre ele nenhum direito de vida e de morte, de modo que, caso o mate, como a um de seus animais de carga, estará cometendo injusto homicídio; o dono do escravo tem, pelas leis, direito de vida e de morte sobre ele, de modo que pode vendê-lo a quem quiser, ou matá-lo, como, sem comparação, poderia fazer com seu cavalo.
5) Por fim, o servo não está senão por determinado tempo a serviço de seu senhor, ao passo que o escravo o está para sempre.

72. Não há nada entre os homens que nos faça pertencer a alguém mais do que a escravidão; também não há nada entre os cristãos que nos faça pertencer de modo mais efetivo a Jesus Cristo e a sua santa Mãe do que a escravidão de vontade, segundo o exemplo do próprio Jesus Cristo, que assumiu a forma de escravo por amor a nós: *Formam servi accipiens* (Fl 2,7), e da Santíssima Virgem, que se declarou a serva e a escrava do Senhor. O Apóstolo se chama, com grande honra, *servus Christi* (servo de Cristo) (cf. Rm 1,1; Gl 1,10; Fl 1,1; Tt 1,1). Os cristãos são chamados, diversas vezes, *servi Christi* [servos de Cristo] nas Escrituras; a palavra *servus*, de acordo com uma observação verdadeira feita por um grande homem,[1] significava outrora somente um escravo, pois ainda não havia servos como os de

[1] Henri-Marie BOUDON, *La sainte esclavage de l'admirable Mère de Dieu*, cap. II.

hoje, sendo os patrões então servidos apenas por escravos ou alforriados, o que o *Catecismo do Santo Concílio de Trento*, para banir qualquer dúvida de que sejamos escravos de Cristo, expressa mediante um termo sem ambiguidade, ao chamar-nos *mancipia Christi* (escravos de Cristo). Diante disso:

73. Quero dizer que devemos ser de Jesus Cristo e servi-lo, não apenas como servos mercenários, mas como escravos apaixonados, que, por força de um grande amor, se dão e se empenham em servi-lo na qualidade de escravos, pela única honra de lhe pertencer. Antes do batismo, éramos escravos do diabo; o batismo nos tornou escravos de Jesus Cristo: é necessário que os cristãos sejam escravos ou do diabo, ou de Jesus Cristo.

74. O que digo de modo absoluto acerca de Jesus Cristo, digo-o relativamente da Santíssima Virgem, que Jesus Cristo escolheu por companheira indissolúvel de sua vida, de sua morte, de sua glória e onipotência no céu e na terra, dando-lhe pela graça, relativamente a sua Majestade, todos os mesmos direitos e privilégios que ele possui por natureza: *Quidquid Deo convenit per naturam, Mariae convenit per gratiam* (Tudo o que convém a Deus por natureza, convém a Maria pela graça),[2] como afirmam os santos, de modo que, segundo eles, tendo ambos a mesma vontade e poder, ambos têm os mesmos súditos, servos e escravos.

75. Portanto, seguindo o sentimento dos santos e de grandes homens, é possível declarar-se e fazer-se escravo apaixonado da Santíssima Virgem, a fim de ser, por conseguinte, de um modo mais perfeito, escravo de Jesus Cristo. A Santíssima Virgem é o meio pelo qual Nosso Senhor se serviu para vir até nós; é

---

[2] São João Damasceno, *Sermo 2 in Dormitione Beata Maria*.

também o meio do qual devemos nos servir para ir até ele, pois ela não é como as outras criaturas, que nos afastariam de Deus, em vez de nos aproximarem dele, caso nos apegássemos a elas. A mais forte inclinação de Maria, ao contrário, é nos unir a Jesus Cristo, seu Filho, e a mais forte inclinação do Filho é que cheguemos a ele por Maria; e consiste em honrá-lo e agradá-lo, como honrando e agradando a um rei, se, para nos tornarmos seus súditos e escravos de um modo mais perfeito, nos fizéssemos escravos da rainha. Por isso os santos Padres e, depois deles, São Boaventura dizem que a Santíssima Virgem é o caminho para ir a Nosso Senhor: *Via veniendi ad Christum est appropinquare ad illam* (*In psalt. min.*).

76. Além disso, se, como eu disse, a Santa Virgem é a Rainha e soberana do céu e da terra – *Ecce imperio Dei omnia subjiciuntur et Virgo; ecce imperio Virginis omnia subjiciuntur et Deus* (*Ao poder de Deus todas as coisas estão submetidas, inclusive a Virgem; ao poder da Virgem, todas as coisas estão submetidas, inclusive Deus*) –, como também dizem Santo Anselmo, São Bernardo, São Bernardino, São Boaventura, não existem tantos escravos dela quanto existem criaturas? Não seria razoável que, entre tantos escravos por obrigação, também haja escravos por amor que de boa vontade elegem, enquanto escravos, Maria como soberana? Ora, os homens e os demônios têm seus escravos voluntários, e Maria não? Ora, um rei terá em grande conta que a rainha, sua esposa, tenha escravos sobre os quais ela tenha direito de vida e de morte, pois a honra e o poder dele é a honra e o poder dela; e poderíamos crer que Nosso Senhor, que, como o melhor de todos os filhos, deu parte de seu poder a sua santa Mãe, ache ruim que ela tenha escravos? Teria ele menos amor e menos respeito por sua mãe do que Assuero por Ester e Salomão por Betsabeia? Quem ousaria dizer ou mesmo pensar isso?

77. Mas aonde será que minha pena está me levando? Por que será que me detive aqui para provar algo tão evidente? Se não quisermos nos declarar escravos da Virgem Santa, que importa? Que nos façamos e nos declaremos escravos de Jesus Cristo! E assim o seremos também da Santíssima Virgem, pois Jesus Cristo é o fruto e a glória de Maria. É perfeitamente isso que se faz mediante a devoção da qual falaremos a seguir.

Artigo terceiro: Devemos nos esvaziar daquilo que em nós há de mal

78. *Terceira verdade.* Nossas melhores ações costumam ser manchadas e corrompidas pelo mau fundamento presente em nós. Quando se colocar água límpida e pura num recipiente que cheira mal, ou vinho num tonel cujo interior se encontra estragado por outro vinho, a água limpa e o vinho novo são deteriorados e adquirem facilmente o mau odor. De igual maneira, quando Deus coloca no recipiente de nossa alma, estragado pelo pecado original e atual, suas graças e orvalhos celestes, ou o vinho saboroso de seu amor, seus dons costumam ser estragados e manchados pelo mau fermento e o mau fundamento que o pecado deixou em nós; nossas ações, mesmo as de virtudes mais sublimes, exalam o mau odor. Portanto, é de enorme importância, para adquirir a perfeição – que só se adquire pela união com Jesus Cristo –, esvaziar-nos daquilo que há de mau em nós: caso contrário, Nosso Senhor, infinitamente puro e que odeia infinitamente a menor sujeira na alma, nos banirá da vista de seus olhos e não se unirá a nós.

79. Para nos esvaziar de nós mesmos, é preciso, em primeiro lugar, conhecer bem, pela luz do Espírito Santo, nosso mau fundamento, nossa incapacidade para todo bem útil à salvação, nossa fraqueza em todas as coisas, nossa inconstância a todo tempo, nossa indignidade de toda graça e nossa iniquidade em toda parte. O pecado de nosso primeiro pai nos corrompeu a todos quase por inteiro, tornando-nos inflados e azedos, como o fermento azeda, infla e corrompe a pasta na qual é posto. Os pecados atuais que cometemos, tanto mortais como veniais, por mais perdoados que sejam, aumentaram nossa concupiscência, nossa fraqueza, nossa inconstância e nossa corrupção, e deixaram maus restos em nossa alma. Nossos corpos estão tão corrompidos que são chamados pelo Espírito Santo de corpos do pecado, concebidos no pecado, nutridos no pecado e capazes de tudo; corpos sujeitos a uma infinidade de doenças, que se corrompem dia a dia, e que não engendram senão úlceras, vermes e corrupção. Nossa alma, unida a nosso corpo, se tornou tão carnal que foi chamada de carne: *Toda carne havia corrompido seu caminho* (Gn 6,12). Não temos como próprio senão o orgulho e a cegueira no espírito, a dureza no coração, a fraqueza e a inconstância na alma, a concupiscência, as paixões revoltosas e as doenças no corpo. Somos naturalmente mais orgulhosos que o pavão, mais presos à terra que sapos, mais repulsivos que bodes, mais vorazes que serpentes, mais gulosos que porcos, mais coléricos que tigres e mais preguiçosos que tartarugas, mais fracos que capim e mais inconstantes que cata-ventos. Não temos no fundo de nós a não ser vazio e pecado, e não merecemos senão a ira de Deus e o inferno eterno.

80. Depois disso, devemos nos admirar de Nosso Senhor ter dito que aquele que quiser segui-lo deve renunciar a si mesmo e odiar sua alma; que aquele que amar sua vida a perderá e aquele que a odiar a salvará? Essa Sabedoria infinita, que não dá mandamentos sem razão, não nos manda odiar a nós mesmos senão porque somos grandemente dignos de ódio: nada é tão digno de amor quanto Deus; nada tão digno de ódio quanto nós.

81. Em segundo lugar, para nos esvaziar de nós mesmos, precisamos todos os dias morrer para nós mesmos, ou seja, renunciar às operações das forças de nossa alma e dos sentidos de nosso corpo, de modo que devemos ver como se não víssemos, ouvir como se não ouvíssemos, servir-nos das coisas do mundo como se não o fizéssemos, o que Paulo define como morrer todos os dias: *Quotidie morior!* (1Cor 15,31). Se o grão de trigo, ao cair na terra, não morrer, permanece terra e não produz fruto que seja bom: *Nisi granum frumenti cadens in terram mortuum fuerit, ipsum solum manet* (Jo 12,24). Se não morrermos para nós mesmos, e se nossas devoções mais santas não nos levarem a essa morte necessária e fecunda, não daremos fruto que valha, e nossas devoções se tornarão inúteis, todas as nossas justiças serão manchadas por nosso amor-próprio e nossa vontade própria, de modo que Deus terá como abominação os maiores sacrifícios e as melhores ações que possamos realizar, e, no momento de nossa morte, teremos as mãos vazias de virtudes e méritos, e não teremos nenhum fulgor de puro amor, que não é comunicado senão às almas cuja vida está escondida com Jesus em Deus (Cl 3,3).

82. Em terceiro lugar, dentre todas as devoções à Santíssima Virgem, deve-se escolher aquela que melhor nos leva a morrer para nós mesmos, a qual se pode considerar a mais excelente e mais santificante; pois não devemos crer que tudo o que reluz seja ouro, que tudo o que é doce seja mel, nem que tudo o que pode ser feito com maior facilidade e praticado pelo maior número de pessoas seja o mais santificante. Tanto quanto existem segredos da natureza para operar em pouco tempo, sem despender muita energia e com facilidade certas operações naturais, assim também há segredos na ordem da graça para realizar em pouco tempo, com leveza e facilidade operações sobrenaturais tais quais esvaziar-se a si mesmo, preencher-se de Deus e tornar-se perfeito. A prática que desejo lhes revelar é um desses segredos da graça, ignorado pela maioria dos cristãos, conhecido por poucos devotos, mas praticado e saboreado por um número bem menor. Para começar a revelar essa prática, eis uma quarta verdade que dá continuidade à terceira.

Artigo quarto: Precisamos de um mediador junto ao próprio Mediador, que é Jesus Cristo

83. *Quarta verdade.* É mais perfeito, porque mais humilde, não aproximar-nos de Deus por nós mesmos, sem recorrer a um mediador. Sendo nosso íntimo, como acabo de mostrar, tão corrompido, se nos apoiarmos em nossos próprios trabalhos, indústrias, preparações, para chegar a Deus e agradar-lhe, é certo que todas as nossas justiças serão manchadas, ou de pouco peso diante de Deus, para levá-lo a unir-se a nós e nos atender. Pois não foi sem razão que Deus nos deu mediadores junto a sua Majestade: ele viu nossa indignidade e incapacidade, teve piedade de nós e, para nos dar acesso a sua misericórdia, nos proveu de intercessores poderosos junto a sua grandeza; de modo que não dar importância a esses mediadores e aproximar-nos diretamente de sua Santidade é faltar com respeito em relação a um Deus tão exaltado e santo; é fazer menos caso desse Rei dos reis do que faríamos de um rei ou de um príncipe da terra, do qual não gostaríamos de nos aproximar sem algum amigo que falasse por nós.

84. Nosso Senhor é nosso advogado e nosso mediador junto a Deus Pai; é por ele que devemos rezar com toda a Igreja triunfante e militante; é por ele que temos acesso junto a sua [Divina] Majestade, e só devemos aparecer diante dele apoiados e revestidos por seus méritos, como o pequeno Jacó, em peles de cabrito, diante de seu pai Isaac, para receber a bênção.

85. Mas também não podemos precisar de um mediador junto ao próprio Mediador? Nossa pureza é grande o bastante para nos unir diretamente a ele, e por nós mesmos? Ele não é Deus, em tudo igual a seu Pai, e, por conseguinte, o Santo dos santos, tão digno de respeito quanto seu Pai? Se, por sua caridade infinita, ele se fez nosso penhor e nosso Mediador junto a seu Pai, para apaziguá-lo e lhe pagar aquilo que lhe devíamos, isso quer dizer que lhe devemos menor respeito e temor por sua majestade e santidade? Portanto, sejamos mais ousados, como São Bernardo, dizendo que temos necessidade de um mediador junto ao próprio Mediador, e que a divina Maria é aquela que é a mais capaz de preencher esse posto de caridade; foi por meio dela que Jesus Cristo veio até nós, e é por ela que devemos ir até ele. Se temos receio de nos dirigir diretamente a Jesus Cristo, ou por causa de sua grandeza infinita, ou por causa de nossa insignificância, ou por causa de nossos pecados, imploremos audazmente a ajuda e a intercessão de Maria, nossa Mãe: ela é boa e terna; nela não há nada que seja austero ou repulsivo, nada que seja demasiado sublime e brilhante; ao vê-la, podemos ver nossa natureza mais pura. Ela não é o sol que, pela energia de seus raios, poderia nos ofuscar a visão, devido a nossa fraqueza; mas ela é bela e suave como a lua, que recebe a luz do sol e a equilibra, para torná-la à medida de nosso alcance. Ela é tão caridosa que não rejeita nenhum daqueles que pedem sua intercessão, por mais pecadores que sejam; pois, como dizem os santos, jamais se ouviu dizer, desde quando o mundo é mundo, que ninguém que recorreu à Santa Virgem com confiança e perseverança, tenha sido desconsiderado. Ela é tão poderosa que jamais se frustrou em seus pedidos; cabe a ela tão somente se apresentar diante do Filho com alguma súplica, que ele logo aceita e recebe; ele é sempre amorosamente vencido pelas mamas e entranhas de sua tão querida Mãe.

86. Tudo isso foi dito por São Bernardo e São Boaventura, de modo que, segundo eles, nós temos três degraus a subir para chegar até Deus. O primeiro, que é o mais próximo de nós e o que mais se configura a nossa capacidade, é Maria. O segundo é Jesus Cristo. E o terceiro é Deus Pai. Para chegar até Jesus, é preciso ir até Maria, que é nossa medianeira de intercessão. Para chegar até o Pai eterno, é preciso ir até Jesus, que é nosso mediador de redenção. Ora, na devoção da qual tratarei adiante, essa é a ordem que se observa perfeitamente.

Artigo quinto: Para nós, é muito difícil conservar as graças e os tesouros recebidos de Deus

87. *Quinta verdade.* É muito difícil para nós, em razão de nossa fraqueza e fragilidade, conservar em nós as graças e os tesouros que recebemos de Deus: 1º) Porque nós temos esse tesouro, que vale mais do que o céu e a terra, em vasos frágeis: *Habemus thesaurum istum in vasis fictilibus* ("E temos esse tesouro em vasos de barro", 2Cor 4,7) num corpo corruptível, numa alma fraca e inconstante, que um nada perturba e abate.

88. 2º) Porque os demônios, que são argutos ladrões, querem nos surpreender de improviso para nos roubar e despojar; eles espreitam dia e noite o momento favorável para isso; eles rondam incessantemente para nos devorar e nos levar, num único momento, por um pecado, todos os méritos e graças que pudemos alcançar em vários anos. A malícia, a experiência, as trapaças e a quantidade deles devem nos fazer temer infinitamente esse infortúnio, uma vez que pessoas mais plenas de graças, mais ricas em virtudes, mais cheias de experiência e mais elevadas em santidade, foram surpreendidas, roubadas e pilhadas terrivelmente. Ah! Quantos cedros do Líbano e quantas estrelas do firmamento se viram cair miseravelmente e perder toda a altura e claridade em pouco tempo! De onde vem essa estranha mudança? Não foi por falta de graça, que não falta a ninguém, mas por falta de humildade: eles se consideraram capazes de conservar seus tesouros; eles confiaram e se apoiaram em si mesmos; presumiram que sua casa estivesse suficientemente segura e seus cofres, suficientemente fortes para guardar o precioso tesouro da graça, e foi por causa desse apoio imperceptível que eles tinham em si mesmos (embora lhes parecesse que se apoiavam unicamente sobre a graça de Deus) que o Senhor muito justo permitiu que fossem roubados, entregando-os a si próprios. Que pena! Se eles tivessem conhecido a devoção admirável que mostrarei em seguida, eles teriam confiado seu tesouro a uma Virgem poderosa e fiel, que o teria guardado para eles como se lhe fosse um bem próprio, até mesmo se comprometeria a fazê-lo como um dever de justiça.

89. 3°) É difícil perseverar na justiça, por causa da corrupção estranha[3] do mundo. O mundo se corrompeu de tal modo que se tornou como que necessário que os corações religiosos sejam manchados por ele, se não por sua lama, ao menos por sua poeira; de modo que é uma espécie de milagre quando uma pessoa permanece firme no meio dessa torrente impetuosa, sem ser por ela levada; no meio desse mar tempestuoso, sem ser submergido ou pilhado por piratas e corsários; no meio desse ar empesteado, sem ser infectado por ele; é a Virgem unicamente fiel, com a qual a serpente jamais teve parte, quem faz esse milagre em benefício daqueles e daquelas [que a amam] de um modo belo.

[3] Assim no original: "corruption étrange du monde". (N.T.)

CAPÍTULO III

Escolha da verdadeira devoção a Nossa Senhora

90. Tendo pressuposto essas cinco verdades, é preciso agora, mais do que nunca, optar de um modo adequado pela devoção à Santíssima Virgem: pois hoje, mais do que nunca, existem falsas devoções à Santa Virgem, as quais facilmente se podem confundir como devoções verdadeiras. O diabo, como um falso fabricante de moedas e enganador astuto e experiente, já enganou e levou à perdição tantas almas, por meio de uma falsa devoção à Santíssima Virgem, de modo que diariamente ele faz uso de sua experiência diabólica para levar à perdição tantas outras, divertindo-as e entorpecendo-as no pecado, com o pretexto de algumas orações mal feitas e de certas práticas exteriores que lhes são por ele inspiradas. Assim como um falso fabricante de moedas costuma contrafazer apenas moedas de ouro e de prata, e muito raramente aquelas de outros metais, pois estas não valem a pena, também o espírito maligno não contrafaz tanto as outras devoções como as de Jesus e de Maria, a devoção à Sagrada Comunhão e à Santa Virgem, porquanto elas são, junto às outras devoções, o que são o ouro e a prata entre os outros metais.

91. Portanto, é importantíssimo conhecer, em primeiro lugar, as falsas devoções à Santíssima Virgem, para evitá-las, e a verdadeira, para abraçá-la; em segundo lugar, entre tantas práticas diferentes da verdadeira devoção à Santa Virgem, qual é a mais perfeita, a mais agradável à Virgem Santa, a mais gloriosa a Deus e a mais santificante para nós, a fim de a ela aderirmos.

Artigo primeiro: Falsos devotos e falsas devoções à Santíssima Virgem

92. Identifico sete tipos de falsos devotos e falsas devoções à Virgem Santa, a saber: 1º) os devotos críticos; 2º) os devotos escrupulosos; 3º) os devotos exteriores; 4º) os devotos presunçosos; 5º) os devotos inconstantes; 6º) os devotos hipócritas e 7º) os devotos interesseiros.

1º) Os devotos críticos

93. Os devotos *críticos* são, basicamente, sábios orgulhosos, espíritos fortes e autossuficientes, que têm, no fundo, alguma devoção à Santa Virgem, mas criticam praticamente todas as práticas de devoção à Santa Virgem que as pessoas simples prestam com simplicidade e santidade a essa Mãe bondosa, porque estas não se adéquam ao que eles têm em mente. Eles contestam todos os milagres e histórias relatados por escritores dignos de fé, ou tirados das crônicas das ordens religiosas, que dão testemunho das misericórdias e da potência da Santíssima Virgem. Eles não conseguem ver, a não ser com pesar, pessoas simples e humildes ajoelhadas diante de um altar ou imagem da Santa Virgem, por vezes na esquina de uma rua, para ali orar a Deus; e as acusam de idolatria, como se estivessem adorando a pedra ou a madeira; eles dizem que não valorizam tais devoções exteriores, nem têm o espírito tão fraco ao ponto de dar fé a tantas anedotas e historinhas que se contam da Virgem Maria. Quando a eles se narram os louvores admiráveis que os santos Padres prestaram à Santa Virgem, ou replicam que os mesmos autores se expressaram na condição de oradores, com exagero, ou dão uma explicação inadequada às palavras deles. Esse tipo de falsos devotos e de gente orgulhosa e mundana são muitos, e devem ser temidos, pois prejudicam infinitamente a devoção à Santíssima Virgem, eficazmente distanciando dela os povos, com a desculpa de destruir seus abusos.

2º) Os devotos escrupulosos

94. Os devotos *escrupulosos* são pessoas que têm receio de desonrar o Filho ao honrar a Mãe, de rebaixar o primeiro ao elevar a segunda. Eles não conseguem suportar que se deem à Santa Virgem louvores muito justos, como lhe deram os santos Padres; eles não suportam senão com dificuldade que haja mais gente de joelhos diante de um altar da Santa Virgem do que diante do Santíssimo Sacramento, como se um fosse contrário ao outro; como se aqueles que rezam à Santa Virgem não rezassem a Jesus Cristo! Eles não admitem que se fale com tanta frequência da Santa Virgem, nem que se recorra a ela com tanta frequência.

Eis algumas sentenças que lhes são comuns:

> Para que tantos terços, tantas confrarias e devoções exteriores à Santa Virgem? Há nisso muita ignorância. Estão fazendo palhaçada da nossa religião. Falem-me daqueles que são devotos de Jesus Cristo (eles o nomeiam com frequência, sem revelar-se, digo entre parêntesis): deve-se recorrer a Jesus Cristo, Ele é nosso único mediador; deve-se anunciar Jesus Cristo, pois Ele, sim, tem substância!

O que essas pessoas dizem é verdadeiro em certo sentido, mas em relação à aplicação que fazem dessa reflexão, com a finalidade de impedir a devoção à Santíssima Virgem, trata-se de uma perigosa e sutil armadilha do maligno, com a desculpa de promover um bem maior; pois jamais se honra mais Jesus Cristo do que quando se honra a Santíssima Virgem, porquanto não se honra a Mãe a não ser com a finalidade de honrar mais perfeitamente o Filho, pois só se vai a ela como sendo o caminho para encontrar o termo aonde se vai, que é Jesus Cristo.

95. Com o Espírito Santo, a Santa Igreja bendiz a Santa Virgem primeiramente e Jesus Cristo em segundo lugar: *Benedicta tu in mulieribus, et benedictus fructus ventris tui, Jesus* (Bendita és tu entre as mulheres e bendito o fruto do teu ventre, Jesus). Não porque a Santa Virgem seja maior que Jesus Cristo, ou igual a ele: tal seria uma heresia intolerável. Mas, sim, pelo fato de que, para bendizer de modo mais perfeito Jesus Cristo, é preciso bendizer antes Maria. Portanto, com todos os verdadeiros devotos da Santa Virgem, digamos, contra todos os seus falsos devotos escrupulosos: *Ó Maria, vós sois bendita entre todas as mulheres, e bendito é o fruto do vosso ventre, Jesus.*

3°) Os devotos exteriores

96. Os devotos *exteriores* são aquelas pessoas para as quais toda a devoção à Santíssima Virgem deve consistir em práticas exteriores. Desse modo, não saboreiam senão o aspecto exterior da devoção à Santíssima Virgem, pois não têm espírito interior. São pessoas que recitam o terço com pressa, participam de várias missas sem prestar atenção, vão a procissões sem devoção, participam de todo tipo de confrarias sem mudar de vida, sem violentar as próprias paixões e sem imitar as virtudes dessa Virgem tão santa. Não estimam senão o aspecto sensível da devoção, sem saborear o que nela há de substancioso; se não se veem afetados sentimentalmente em suas práticas, creem que elas não valem a pena, e se degradam, largando tudo ou fazendo tudo sem dar continuidade. O mundo está cheio desse tipo de devotos exteriores, e não há gente mais crítica das pessoas de oração que se dedicam àquilo que há de interior como sendo o essencial, sem desprezar a modéstia exterior que acompanha sempre a verdadeira devoção.

4º) Os devotos presunçosos

97. Os devotos *presunçosos* são pecadores entregues às próprias paixões, ou apegados ao mundo, que, sob o belo nome de cristão e devoto da Santa Virgem, ocultam o orgulho, ou a avareza, ou a impureza, ou a embriaguez, ou a cólera, ou a blasfêmia, ou a difamação, ou a injustiça, entre outros. São pessoas que dormem em paz, não obstante seus maus hábitos, sem fazer grande esforço para corrigir-se, com a desculpa de que são devotos da Virgem. Têm certeza de que Deus lhes perdoará, de que não morrerão sem receber o sacramento da confissão, nem serão reprovados, porque recitam o terço, fazem jejum todo sábado, porque são da confraria do Santo Rosário ou da Ordem Terceira do Carmo, ou por causa da congregação a que pertencem, ou porque usam o pequeno hábito ou a pequena corrente da Santa Virgem.

Quando ouvem dizer que a devoção que praticam não passa de uma ilusão do diabo e de uma presunção perniciosa capaz de levá-los à perdição, não querem acreditar. Respondem que Deus é bom e misericordioso, de modo que não nos criou para nos condenar; que não existe homem sem pecar; que não morrerão sem confessar-se; que um bom ato de contrição da hora da morte é suficiente; além disso, que são devotos da Virgem Santa, que carregam o escapulário, que rezam todos os dias, sem falhar e sem envaidecer-se, sete pai-nossos e sete ave-marias em sua honra; que rezam inclusive o terço e o ofício da Virgem Maria; que jejuam etc.

Para confirmar o que dizem e cegar-se ainda mais, repetem certas histórias – verdadeiras ou falsas, não importa! – que escutaram ou leram nos livros, as quais garantem que pessoas que morreram em pecado mortal, sem confessar-se, ou ressuscitaram para confessar-se, ou suas almas permaneceram milagrosamente em seus corpos até poderem confessar-se, ou então, pela misericórdia da Santa Virgem, obtiveram de Deus, na hora da morte, a contrição e o perdão de seus pecados e, por conseguinte, foram salvas, simplesmente porque tinham, durante a vida, rezado algumas orações ou realizado certas práticas de devoção à Virgem Santa, e tais devotos presunçosos dizem que esperam a mesma coisa.

98. Nada é tão digno de condenação no cristianismo quanto essa presunção diabólica, uma vez que podemos dizer com sinceridade que amamos e honramos a Santa Virgem, quando, por nossos pecados, flagelamos, furamos, crucificamos e ultrajamos sem piedade Jesus Cristo, seu Filho? Se Maria formulasse uma lei para salvar, por sua misericórdia, esse tipo de gente, ela autorizaria o crime, ajudaria a crucificar e ultrajar seu Filho? Quem ousaria pensar isso?

99. Quero dizer que abusar desse modo da devoção à Santa Virgem, a qual, depois da devoção a Nosso Senhor no Santíssimo Sacramento, é a mais santa e a mais substanciosa, implica cometer um terrível sacrilégio, o qual, após o sacrilégio de comungar indignamente, é o maior e o menos digno de perdão. Devo confessar que, para ser verdadeiramente um devoto da Santa Virgem, não é absolutamente necessário ser tão santo a ponto de evitar todo pecado, conquanto fosse para desejar sê-lo; contudo, é preciso pelo menos (que se leve muito bem em conta o que vou dizer): em primeiro lugar, tomar a sincera resolução de evitar ao menos todo pecado mortal, que ofende tanto a Mãe como o Filho; em segundo lugar, violentar-se a si mesmo para evitar o pecado; em terceiro lugar, participar das confrarias, recitar o terço, o santo rosário ou outras orações, fazer jejum todo sábado etc.

100. Isso é maravilhosamente útil para a conversão de um pecador, ainda que de coração endurecido; e se meu leitor for assim, e tiver um dos pés no abismo, aconselho-o [a seguir esses três preceitos dados acima], mas com a condição de que ele só pratique essas boas obras com a intenção de obter de Deus, pela intercessão da Santa Virgem, a graça da contrição e do perdão de seus pecados, e de vencer seus maus costumes, e não com o objetivo de permanecer passivamente no hábito do pecado, contra os remorsos de sua consciência, o exemplo de Jesus Cristo e dos santos, e os preceitos do Santo Evangelho.

5º) Os devotos inconstantes

101. Os devotos *inconstantes* são aqueles que são devotos da Santa Virgem nos intervalos e de maneira caprichosa: ora são férvidos, ora mornos; ora parecem prontos a fazer tudo para servi-la, mas logo depois já não são mais os mesmos. Eles primeiramente abraçarão todas as devoções da Santa Virgem; tomarão parte em alguma confraria, mas logo após não praticarão nenhuma das regras com fidelidade; esses mudam como a lua, e Maria os coloca por sob seus pés, junto com a lua crescente, porque esses são voláteis e indignos de ser contados entre os servos dessa Virgem fiel, os quais têm a fidelidade e a constância em comum. É melhor não ficar sobrecarregado com tantas orações e práticas de devoção, mas assumir poucas com amor e fidelidade, apesar do mundo, do diabo e da carne.

6º) Os devotos hipócritas

102. Há ainda falsos devotos da Santa Virgem que são devotos hipócritas, que escondem seus pecados e maus costumes sob o manto dessa Virgem fiel, com o objetivo de se passarem aos olhos dos homens como aquilo que não são.

7º) Os devotos interesseiros

103. Há ainda os devotos *interesseiros*, que não recorrem à Virgem senão para vencer alguma causa, para livrar-se de algum perigo, para curar-se de alguma enfermidade, ou em função de alguma outra urgência, sem o que eles não se lembrariam dela; tanto uns como os outros são falsos devotos, que não são benquistos nem por Deus nem por sua santa Mãe.

104. Assim sendo, tomemos cuidado para não sermos contados entre aqueles devotos *críticos*, que não acreditam em nada e criticam tudo; entre os devotos *escrupulosos*, que têm receio de ser devotos demais da Santa Virgem, em respeito a Jesus Cristo; entre os devotos *exteriores*, que se esforçam para fazer sua devoção consistir em práticas exteriores; entre os devotos *presunçosos*, que, com a desculpa de sua falsa devoção à Santa Virgem, chafurdam na lama em seus pecados; entre os devotos *inconstantes*, que, por volubilidade, trocam suas práticas de devoção, ou as largam completamente sob a menor tentação; entre os devotos *hipócritas*, que ingressam em confrarias e carregam os distintivos da Santa Virgem, a fim de parecerem bons; e, finalmente, entre os devotos *interesseiros*, que não recorrem à Virgem Santa senão para isentar-se dos males do corpo e conquistar bens temporais.

Artigo segundo: Sinais da verdadeira devoção à Santíssima Virgem

105. Tendo descoberto e condenado as falsas devoções à Santa Virgem, é preciso, em poucas palavras, definir a verdadeira, qual seja: 1) *interior*; 2) *terna*; 3) *santa*; 4) *constante* e 5) *desinteressada*.

1) A verdadeira devoção é interior

106. Primeiramente, a verdadeira devoção à Santa Virgem é interior, ou seja, provém do espírito e do coração, origina-se da estima que se tem pela Virgem Santa, da alta conta em que se têm suas grandezas, do amor que se cultiva por ela.

2) A verdadeira devoção é terna

107. Em segundo lugar, é terna, ou seja, plena de confiança na Santíssima Virgem, como a confiança que uma criança tem por sua boa mãe. Pela devoção terna, uma alma é capaz de recorrer a Maria em todas as necessidades que envolvem seu corpo e espírito, com muita simplicidade, confiança e ternura, e implora a ajuda de sua Mãe bondosa, em todas as ocasiões, em todos os locais e em todas as questões: nos momentos de dúvida, para ser direcionada; nos instantes de tentação, para ser resistente; na hora da fraqueza, para ser fortalecida; nas ocasiões de queda, para ser reerguida; nas horas de desânimo, para ser encorajada; em seus escrúpulos, para vê-los esvair-se; em suas cruzes, labutas e contrariedades da vida, para ser consolada. Enfim, em todos os males do corpo e do espírito, Maria é seu socorro diário, sem temor de incomodar essa Mãe bondosa, nem descontentar Jesus Cristo.

3) A verdadeira devoção é santa

108. Em terceiro lugar, a verdadeira devoção à Santa Virgem é *santa*, ou seja, leva a alma devota a evitar o pecado e imitar as virtudes da Santíssima Virgem, particularmente sua profunda humildade, sua fé viva, sua obediência cega, sua oração contínua, sua mortificação universal, sua pureza divina, sua caridade ardente, sua paciência heroica, sua doçura angelical e sua sabedoria divina. Tais são as dez principais virtudes da Santíssima Virgem.

4) A verdadeira devoção é constante

109. Em quarto lugar, a verdadeira devoção à Santa Virgem é *constante*, ou seja, deixa a alma devota firme no bem, levando-a a não desistir facilmente de suas práticas devocionais e dando-lhe a coragem de opor-se ao mundo, com suas tendências e preceitos; à carne, com seu fastio e suas paixões; ao diabo, com suas tentações. Desse modo, uma pessoa verdadeiramente devota da Santa Virgem não é nem inconstante, nem pesarosa, nem escrupulosa, nem temerosa. Não que ela não caia nem tenha alguma vez modificada a sensibilidade de sua devoção; contudo, ao cair, ela se levanta estendendo a mão a sua bondosa Mãe; se sua devoção se torna insossa e sem graça, ela não fica se lamentando, pois o devoto justo e fiel vive da fé de Jesus e de Maria, e não dos sentimentos corpóreos.

5) A verdadeira devoção é desinteressada

110. Em quinto lugar, a verdadeira devoção à Santa Virgem é *desinteressada*, ou seja, ela inspira a alma devota a nada buscar – nem mesmo a si mesma! – senão a Deus em sua santa Mãe. Um verdadeiro devoto de Maria não serve a essa augusta Senhora com um espírito de ganho e interesseiro, nem em função de seu bem temporal ou eterno, corpóreo ou espiritual, mas tão somente pelo fato de que ela é digna de ser servida, e Deus unicamente nela. Esse devoto fiel não ama Maria em razão de ela servir-lhe a alguma coisa, ou de esperar dela algo em troca, mas simplesmente por ela ser digna de ser amada. É por isso que ele a ama e a serve com fidelidade tanto nos momentos de aridez e desalento como naqueles de tranquilidade e exultação. Ele a ama tanto no alto do Calvário como nas bodas de Caná. Oh! Um devoto assim da Santa Virgem, que não busca em nada seu próprio interesse no serviço que presta a ela, é benquisto e precioso aos olhos de Deus e de sua Mãe Santíssima! Mas quão raros são tais devotos! Foi com a finalidade de que eles não sejam mais tão raros que pus a pena na mão para registrar no papel aquilo que ensinei com êxito em minhas missões, publicamente e em particular, ao longo de muitos anos.

111. Já disse muitas coisas a respeito da Santíssima Virgem. Contudo, com o objetivo que tenho de formar um verdadeiro devoto de Maria e um verdadeiro discípulo de Jesus Cristo, ainda tenho muitas coisas mais a dizer, e ainda assim as omitirei infinitamente mais, quer por ignorância, quer por inaptidão, quer por falta de tempo.

112. Oh! Verdadeiramente meu empenho terá sido de boa utilidade se este pequeno escrito, ao cair nas mãos de uma alma bem-nascida, ou seja, de uma alma nascida de Deus e de Maria, e não do sangue, nem da vontade da carne, nem da vontade do homem, revelar-lhe e inspirar-lhe, pela graça do Espírito Santo, a excelência e o valor da verdadeira e estável devoção à Santíssima Virgem, que passarei a descrever a partir de agora! Se fosse capaz de saber que meu sangue criminoso teria a virtude de inocular nos corações as verdades que escrevo em honra de minha querida Mãe e soberana Senhora, da qual sou o último dentre todos os filhos e escravos, me serviria dele, e não da tinta, para formar esses caracteres, na esperança que tenho de encontrar boas almas que, por sua fidelidade à prática que ensino, ressarcirão minha querida Mãe e Mestra pelas perdas que ela teve em razão de minha ingratidão e infidelidade.

113. Mais do que nunca, eu me sinto estimulado a acreditar e a esperar tudo quanto tenho de profundamente registrado no coração, e que rogo a Deus há muitos anos, a saber: que cedo ou tarde a Santíssima Virgem terá mais filhos, servos e escravos de amor do que nunca, e que, por consequência, meu querido Mestre Jesus reinará nos corações mais do que nunca.

114. Posso prever inúmera quantidade de animais ferozes, que acorrem furiosos para estraçalhar com seus dentes diabólicos este pequeno texto e aquele a quem o Espírito Santo usou para redigi-lo, ou pelo menos para encerrá-lo nas trevas e no silêncio de um baú, para dali ele não vir a público. Eles agredirão e precipitar-se-ão ao encalço daqueles e daquelas que o lerem e se dispuserem a praticá-lo. Mas pouco importa! Melhor ainda! Essa visão me dá coragem e me enche de esperança por enorme êxito, qual seja, uma grande milícia de valentes e ousados soldados de Jesus e de Maria, independentemente do sexo, para enfrentar o mundo, o diabo e a natureza corrompida, nos tempos de perigo que virão mais do que nunca. *Qui legit, intelligat. Qui potest capere, capiat* ("Quem puder compreender, compreenda", Mt 24,15; 19,12).

Artigo terceiro: Principais práticas de devoção a Maria

115. Existem inúmeras práticas *interiores* da verdadeira devoção à Santíssima Virgem, cujo resumo é dado a seguir:

1ª) Honrá-la como a digna Mãe de Deus, mediante o culto de *hiperdulia*, ou seja, estimá-la e honrá-la acima de todos os outros santos, como a obra máxima da graça e a primeira após Jesus Cristo, verdadeiramente Deus e verdadeiramente homem;
2ª) meditar suas virtudes, privilégios e ações;
3ª) contemplar suas maravilhas;
4ª) manifestar-lhe atitudes de amor, de louvor e reconhecimento;
5ª) invocá-la com cordialidade;
6ª) a ela oferecer-se e unir-se;
7ª) realizar cada ato com o objetivo de ser-lhe agradável;

8ª) iniciar, prosseguir e concluir toda e qualquer ação por ela, nela, com ela [e para ela], no intento de fazê-lo por Cristo, em Cristo, com Cristo e para Cristo, nosso fim último. Logo mais explicaremos essa última prática (ver parágrafos 226ss.).

116. A verdadeira devoção à Santa Virgem também consiste em inúmeras práticas *exteriores*, sendo as principais dadas a seguir:

1ª) participar de suas confrarias e entrar em suas congregações;
2ª) ingressar em alguma das ordens instituídas em sua honra;
3ª) difundir seus louvores;
4ª) fazer jejum, oferecer esmolas e mortificações espirituais ou corporais em sua honra;
5ª) ser portador de suas insígnias de devoção, como o santo rosário ou o terço, o escapulário ou a correntinha;
6ª) rezar atenta, devota e modestamente o santo rosário, que consiste em quinze dezenas de ave-marias em honra dos quinze principais mistérios de Jesus Cristo,[1] ou o santo terço de cinco dezenas, que compreende a terça parte do rosário, quer em honra dos cinco mistérios gozosos (anunciação do anjo Gabriel a Maria; visitação de Maria a sua prima Isabel; nascimento de Jesus em Belém; apresentação do menino Jesus no Templo; perda e encontro do menino Jesus no Templo), quer em honra dos cinco mistérios dolorosos (agonia de Jesus no horto das Oliveiras; flagelação de Jesus por seus algozes; Jesus é coroado de espinhos; subida de Jesus ao monte Calvário, com a cruz às costas; crucificação e morte

[1] Sabemos que São João Paulo II acrescentou mais cinco dezenas de ave-marias ao santo rosário, quais sejam, os cinco mistérios luminosos, em que se contemplam os anos da vida pública de Jesus, que começam com o batismo e culminam com a instituição da Eucaristia, memorial de sua morte e ressurreição. (N.T.)

na cruz), quer em honra dos cinco mistérios gloriosos (ressurreição de Jesus; sua ascensão ao céu; a descida do Espírito Santo sobre os apóstolos e a Virgem Maria reunidos no cenáculo ou o Pentecostes; a assunção da Virgem Maria ao céu em corpo e alma e sua coroação como Rainha do céu e da terra pelas três Pessoas da Santíssima Trindade).[2] Também é possível rezar uma coroa de seis ou sete dezenas em honra dos anos que acreditamos ter a Virgem Maria vivido na terra; ou a pequena coroa da Santa Virgem, constituída por três pais-nossos e doze ave-marias, em honra de sua coroa de doze estrelas ou privilégios; ou o ofício da Santa Virgem, acolhido universalmente e recitado em toda a Igreja; ou o pequeno saltério da Santíssima Virgem, composto por São Boaventura em sua honra, e que se mostra tão terno e devoto que não podemos recitá-lo sem ficarmos comovidos; ou catorze pais-nossos e ave-marias em honra de suas catorze alegrias; ou algumas outras orações, hinos e cânticos da Igreja, como o *Salve, Regina*, o *Alma redemptoris mater*, o *Ave, Regina Coelorum* ou o *Regina coeli*, segundo os diferentes tempos litúrgicos; ou o *Ave, maris Stella*, *O gloriosa Domina* etc., ou o *Magnificat* ou algumas outras orações de devoção, que são abundantes nos livros de oração;

7ª) cantar e levar outros a entoar cantos espirituais em sua honra;

8ª) ajoelhar-se diante dela e reverenciá-la, dizendo-lhe, por exemplo, toda manhã, sessenta ou cem vezes: *Ave, Maria, Virgo fidelis*, para alcançar de Deus, por meio dela, a fidelidade às graças divinas ao longo do dia; e à noite: *Ave,*

---

[2] Os mistérios luminosos contemplam o batismo de Jesus no rio Jordão; o milagre da transformação da água em vinho nas bodas de Caná, por intercessão de Maria; o anúncio do Reino; a transfiguração de Jesus no monte Tabor e a instituição da Eucaristia. (N.T.)

Maria, Mater misericordiae, para implorar de Deus o perdão, também por meio dela, dos pecados que se cometeram durante o dia;

9ª) cuidar das confrarias, enfeitando seus altares, coroando e ornando suas imagens;

10ª) organizar procissões em que se carregue sua imagem, podendo-se também carregá-la consigo, como um poderoso gáudio contra o maligno;

11ª) mandar esculpir imagens ou gravar seu nome, para colocar seja nas igrejas, seja nas casas, nos portais e entradas das cidades, das igrejas e residências;

12ª) a ela consagrar-se de um modo solene e especial.

117. Existem muitas outras práticas de autêntica devoção à Santíssima Virgem, inspiradas pelo Espírito Santo às santas almas, e que possuem grande virtude de santificação. Elas podem ser lidas mais profundamente no *Paraíso aberto a Filágia*, do sacerdote jesuíta Paul Barry, uma coletânea de enorme quantidade de devoções que os santos praticaram em honra à Santíssima Virgem. Tais devoções contribuem magnificamente à santificação das almas, com a condição de que sejam realizadas da devida maneira, qual seja:

1ª) com o objetivo reto e bom de agradar unicamente a Deus, de se unir a Jesus Cristo como sendo seu fim último, de conduzir o próximo à retidão e à virtude;

2ª) com atenção, sem distrair-se voluntariamente;

3ª) devotamente, sem correr nem fazer pouco caso;

4ª) modestamente, com postura corporal respeitosa e edificante.

Artigo quarto: A perfeita prática de devoção a Maria

118. Tendo lido praticamente a totalidade dos livros que versam sobre a devoção à Santíssima Virgem, e conversando cordialmente com os mais sábios e santos personagens destes últimos tempos, não fiquei conhecendo nem aprendi nenhuma prática de devoção à Santa Virgem que se assemelhasse a esta que desejo propor aqui, a qual exige da alma que se predispõe a segui-la maior quantidade de sacrifícios a Deus, esvaziando-a mais de si mesma e de seu amor-próprio, conservando-a mais fiel na graça – e também conservando a graça nela –, unindo-a de modo mais perfeito e fácil a Jesus Cristo; enfim, uma devoção que seja mais adequada para a glória de Deus, para a santificação da alma e para o bem do próximo.

119. Como o fundamental dessa devoção se situa no interior que por ela deve ser formado, nem todas as pessoas a compreenderão do mesmo modo: algumas se apegarão ao que nela há de exterior, sem ir além, e esses serão os mais numerosos; outros, menos numerosos, adentrarão em seu interior, porém só conseguirão subir um degrau. Quem subirá ao segundo? Quem chegará ao terceiro? Enfim, quem é aquele que se adequará a essa devoção? Apenas aquele a quem esse segredo for revelado pelo Espírito de Jesus Cristo, o qual nela conduzirá a alma devidamente fiel, a fim de que ela avance de virtude em virtude, de graça em graça e de luz em luz, chegando à transformação de si mesma em Jesus Cristo, e à plenitude de sua existência na terra e de sua glória no céu.

CAPÍTULO IV

Natureza da perfeita devoção à Santa Virgem, ou da perfeita consagração a Jesus Cristo

120. Toda a nossa perfeição consiste em sermos conformes a Jesus Cristo, estando unidos e consagrados a ele, de modo que a mais perfeita dentre todas as devoções é, sem sombra de dúvida, aquela que nos conforma, nos une e nos consagra a Jesus Cristo. Ora, sendo Maria, dentre todas as criaturas, a mais conforme a Jesus Cristo, disso resulta que a devoção que melhor consagra e conforma uma alma a Nosso Senhor é a devoção à Santíssima Virgem, sua santa Mãe, e que, à proporção que uma alma se consagrar mais a Maria, mais consagrada estará a Jesus Cristo. Por essa razão, a perfeita consagração a Jesus Cristo não é outra coisa senão uma consagração perfeita e total de si mesmo à Santíssima Virgem, e é essa a devoção que proclamo, a qual também se pode considerar uma perfeita renovação dos votos e promessas do santo batismo.

Artigo primeiro: Uma primeira e completa consagração a Maria

121. Sendo assim, essa devoção consiste em dar-se todo inteiro à Santíssima Virgem, para também dar-se todo inteiro a Jesus Cristo por meio dela. É necessário dar-lhe:

1º) nosso corpo, com todos os seus sentidos e membros;
2º) nossa alma, com todas as suas potências;
3º) nossos bens exteriores, chamados pelo nome de fortuna, presentes e vindouros;

4º) nossos bens interiores e espirituais, que constituem nossos méritos, virtudes e boas obras, passadas, presentes e futuras. Em duas palavras: tudo aquilo que possuímos, na ordem da natureza e na ordem da graça, e tudo aquilo que poderemos possuir no futuro, na ordem da natureza, da graça ou da glória, de maneira irrestrita, sem restrição de um centavo, de um fio de cabelo, da mais ínfima boa ação, por toda a eternidade, sem a pretensão ou esperança de receber outra recompensa por sua oferenda e seu serviço senão a honra de pertencer a Jesus Cristo por meio dela, ainda que essa amável Mestra não fosse, quando na verdade sempre é, a mais plena de liberalidade e reconhecimento dentre todas as criaturas.

122. Aqui, deve-se observar a existência de duas coisas nas boas obras por nós realizadas, quais sejam: a satisfação e o mérito, ou seja, o valor satisfatório ou impetratório e o valor meritório. O valor satisfatório ou impetratório de uma boa obra é uma boa ação que consiste em satisfazer ao castigo devido ao pecado, ou em obter alguma nova graça; o valor meritório, ou o mérito, é uma boa ação que consiste em merecer a graça e a glória eterna. Ora, nessa consagração de nosso próprio eu à Santíssima Virgem, nós oferecemos a ela todo o valor satisfatório, impetratório e meritório; de outro modo, pelas satisfações e os méritos de todas as nossas boas obras, oferecemos a ela nossos méritos, nossas graças e nossas virtudes, não para transmiti-los a outros (pois nossos méritos, graças e virtudes são, falando em sentido próprio, incomunicáveis; e somente Jesus Cristo, fazendo-se nosso resgate diante do Pai, pôde nos comunicar seus méritos), mas para conservá-los, aumentá-los e enchê-los de beleza em nós, como diremos ainda (cf. 146ss.). Damos a ela nossas satisfações, para que ela as comunique a quem bem entender, e para a maior glória de Deus.

123. Segue-se daí: 1°) que essa consagração permite dar a Jesus Cristo, da maneira mais perfeita, porquanto seja pelas mãos de Maria, tudo o que é possível lhe dar, e muito mais do que com o auxílio de outras devoções, mediante as quais damos a Ele uma parcela de nosso tempo, ou uma parcela de nossas boas obras, ou uma parcela de nossas satisfações e mortificações. Por esta devoção, tudo é dado e consagrado, inclusive o direito de dispor dos próprios bens interiores, e as satisfações que se obtêm pelas próprias boas obras dia após dia – isso, aliás, não se faz em nenhuma ordem religiosa. Nas ordens religiosas, são confiados a Deus os bens materiais, pelo voto de pobreza; os bens corpóreos, pelo voto de castidade; a própria vontade, pelo voto de obediência, e algumas vezes a liberdade do corpo, pelo voto de enclausuramento. Contudo, não se dá a Ele a própria liberdade, ou o direito de dispor do valor das próprias boas obras, e não se despoja tanto quanto possível daquilo que o homem cristão possui de mais caro e de mais precioso, que são seus méritos e satisfações.

124. 2°) Segue-se que uma pessoa que, de livre e espontânea vontade, se consagrou e se sacrificou a Cristo por Maria, não pode mais fazer o que bem entender do valor de nenhum de seus bons atos: tudo o que ela sofre, tudo o que ela pensa, diz e faz de bom pertence a Maria, a fim de que ela disponha de tudo isso segundo a vontade de seu Filho, e para sua maior glória, sem que, contudo, essa dependência seja de modo nenhum prejudicial às obrigações do estado em que se está atualmente, e no qual se poderá estar no porvir. Referimo-nos aqui, por exemplo, às obrigações de um presbítero que, por força de seu ofício ou algum outro motivo, deve aplicar o valor satisfatório e impetratório da santa Eucaristia a um particular, uma vez que só é possível fazer essa oferenda segundo a ordem de Deus e os deveres de seu estado de vida.

125. Segue-se que a consagração é feita conjuntamente à Santíssima Virgem e a Jesus, como sendo o modo perfeito que Jesus escolheu para se unir a nós e nos unir a ele; e a Nosso Senhor, como a nosso fim último, a quem devemos tudo o que somos, como a nosso Redentor e nosso Deus.

Artigo segundo: Uma perfeita renovação das promessas do batismo

126. Acima eu disse que esta devoção poderia perfeitamente ser chamada de perfeita renovação dos votos e promessas do santo batismo, na medida em que todo cristão, antes de ser batizado, era escravo do demônio, uma vez que a ele pertencia. Ao ser batizado, e por seus próprios lábios ou pelos lábios de seu padrinho e de sua madrinha, ele renunciou solenemente a Satanás, a suas ciladas e obras, assumindo Jesus Cristo como seu Mestre e supremo Senhor, com vistas a depender dele na condição de escravo de amor. É isso também que a presente devoção possibilita: renunciar ao pecado, ao demônio, ao mundo e a si mesmo (como consta na fórmula de consagração), para entregar-se inteiramente a Jesus Cristo pelas mãos de Maria. Aliás, há inclusive algo de mais, pois quando se recebe o batismo, costuma-se falar pela boca de outros, a saber, o padrinho e a madrinha, de modo que a entrega de si a Jesus Cristo é feita pela mediação de um procurador; todavia, nesta devoção, é por si mesmo, de livre e espontânea vontade, com conhecimento de causa, que se concretiza essa autoentrega. No santo batismo, o neófito não se dá a Jesus Cristo pelas mãos de Maria, ao menos de maneira expressa, nem confia a Jesus Cristo o valor de suas boas ações; porém, por esta devoção, a pessoa se dá expressamente a Nosso Senhor pelas mãos de Maria, e consagra-lhe o valor de todas as suas ações.

127. São Tomás de Aquino afirma que os homens, no santo batismo, fazem o voto de renunciar ao diabo e suas seduções: *In baptismo vovent homines abrenuntiare diabolo et pompis ejus.*[1] E tal voto, de acordo com Santo Agostinho, é o maior e o mais necessário: *Votum maximum nostrum quo vovimus nos in Christo esse mansuros.*[2] É também o que afirmam os canonistas: *Praecipuum votum est quod baptismate facimus* (O voto principal é aquele que fazemos no batismo). Contudo, quem cumpre esse voto? Quem realiza fielmente as promessas do santo batismo? Não é certo que praticamente todos os cristãos adulteram a fidelidade que prometeram a Jesus Cristo ao serem batizados? Daqui é que vem este desregramento universal, ou mesmo o esquecimento que se vive das promessas e dos compromissos do santo batismo, e do fato de que quase ninguém ratifica por si mesmo o contrato de aliança firmado com Deus pela mediação de seus padrinhos e madrinhas!

128. Isso é tão verdadeiro que o Concílio de Sens, convocado por ordem de Luís, o Piedoso, para remediar as desordens dos cristãos, que eram muitas, considerou que a principal causa dessa corrupção nos costumes vinha do esquecimento e da ignorância dos compromissos assumidos com o santo batismo que muitos estavam vivendo; e ele não encontrou melhor meio para remediar tão grande mal do que levar os cristãos a renovar os votos e promessas do santo batismo.

129. O *Catecismo do Concílio de Trento*, fiel intérprete das intenções desse santo Concílio, exorta os párocos a fazer a mesma coisa e a levar seus paroquianos a relembrar-se de que foram consagrados a Nosso Senhor Jesus Cristo e estão ligados a Ele

---

[1] *Suma Teológica* II-II, q. 88, art. 2, arg. 1.

[2] Epistola 59 ad Paulin.

como escravos a seu Redentor e Senhor. Estas são as palavras a esse respeito: *Parochus fidelem populum ad eam rationem cohortabitur ut sciat [...] aequum esse nos ipsos, non secus ac mancipia Redemptori nostro et Domino in perpetuum addicere et consecrare.*[3]

130. Ora, se os Concílios, os Padres e a própria experiência nos revelam que o melhor remédio para sanar os maus comportamentos dos cristãos é fazê-los rememorar aos compromissos firmados por ocasião de seu batismo e renovar os votos que fizeram, não é, portanto, razoável que os mesmos sejam cumpridos no momento presente, de uma maneira perfeita, por meio desta devoção e consagração a Nosso Senhor pela mediação de sua santa Mãe? Referi-me a uma maneira perfeita porque, para consagrar-se a Jesus Cristo de tal maneira, recorre-se ao meio mais perfeito: a Santíssima Virgem.

Artigo terceiro: Respostas a certas objeções

131. Não é possível contra-argumentar que esta devoção seja nova ou dispensável: ela não é nova, porquanto os Concílios, os Padres e vários autores antigos e novos falam dessa consagração a Nosso Senhor ou renovação dos votos do santo batismo como algo há muito praticado e a recomendam a todos os cristãos; ela não é dispensável, porquanto a principal fonte das desordens e, por conseguinte, da perdição dos cristãos tem como ponto de partida o esquecimento e o pouco caso por essa prática.

132. Alguém pode dizer que esta devoção, ao nos fazer dar a Nosso Senhor, pelas mãos da Santíssima Virgem, o valor de todas as nossas boas obras, orações, esmolas e mortificações, nos

---

[3] *Cat. Conc. Trid.*, parte I, cap. 3, art. 2, § 15.

deixa impossibilitados de socorrer as almas de nossos parentes, amigos e benfeitores.

Minha resposta a essa objeção é que, primeiramente, não se pode acreditar que nossos parentes, amigos ou benfeitores padeçam alguma consequência negativa do fato de nos termos devotado e consagrado irrestritamente ao serviço de Nosso Senhor e de sua santa Mãe. Alegar isso seria um insulto ao poder e à bondade de Jesus e de Maria, que conhecem a melhor maneira de cuidar de nossos parentes, amigos e benfeitores com nosso pequeno rendimento espiritual, ou com outros meios.

Em segundo lugar, essa prática não nos impede de interceder pelos outros, quer pelos vivos, quer pelos mortos, embora a aplicação de nossas boas obras dependa da vontade da Santíssima Virgem, o que, ao contrário, nos levará a orar com ainda maior confiança. É assim, por exemplo, que uma pessoa rica que desse toda a sua fortuna a um soberano, com o objetivo de honrá-lo ainda mais, rogaria com maior confiança a esse soberano que auxiliasse a um de seus amigos que estivesse em necessidade. Seria também do agrado desse soberano dar-lhe a ocasião de testemunhar seu reconhecimento para com uma pessoa que se despojou do que era seu para enriquecê-lo, que se empobreceu para honrá-lo. Deve-se dizer a mesma coisa de Nosso Senhor e da Santa Virgem, que jamais permitirão ser vencidos em reconhecimento.

133. Alguém poderá dizer: Caso eu dê à Santíssima Virgem todo o valor de minhas ações para que ela disponha dele em benefício de quem bem entender, possivelmente será necessário que eu sofra por muito tempo no purgatório. Esse contra-argumento, que provém do amor-próprio e da ignorância quanto à liberalidade de Deus e de sua santa Mãe, não se sustenta por si mesmo. Uma alma fervorosa e cheia de generosidade, que preza mais os interesses de Deus do que os próprios, que oferta a Deus tudo o que possui, sem restrições, de modo a não poder nem mais nem menos do que aspirar à glória e ao reino de Jesus Cristo por sua santa Mãe, e que se sacrifica inteiramente para alcançá-lo... essa alma generosa, que faço questão de frisar como liberal, poderá ser punida no outro mundo por ter sido mais liberal e mais desinteressada que as outras? Muito pelo contrário! É a essa alma, como veremos logo mais, que Nosso Senhor e sua santa Mãe manifestarão imensa liberalidade, neste mundo e no próximo, na ordem da natureza, da graça e da glória.

134. Precisamos agora ver, do modo mais breve possível, as *razões* pelas quais esta devoção deve ser recomendada, os *resultados* maravilhosos que ela produz nas almas fiéis e as *práticas* desta devoção.

CAPÍTULO V

As razões pelas quais esta devoção nos deve ser recomendada

Artigo primeiro: Esta devoção nos dispõe inteiramente ao serviço de Deus

135. A *primeira razão* nos demonstra quão excelente é essa consagração de si mesmo a Jesus Cristo pelas mãos de Maria. Não sendo possível imaginar na terra emprego mais excelente do que o serviço de Deus; sendo o menor servo de Deus o mais rico, mais poderoso e mais nobre dentre todos os reis e imperadores da terra (quando não são servos de Deus), quais serão as riquezas, o poder e a dignidade do fiel e perfeito servo de Deus, que se dedicar a seu serviço inteiramente, sem restrições e tanto quanto puder? Tal é um escravo fiel e apaixonado de Jesus em Maria, que se deu completamente ao serviço desse Rei dos reis, pelas mãos de sua santa Mãe, e que nada separou para si mesmo: todo o ouro da terra e as belezas do céu não podem pagá-lo.

136. As outras congregações, associações e confrarias fundadas em honra a Nosso Senhor e a sua santa Mãe, que fazem tão grande bem no cristianismo, não incentivam seus membros a dar tudo irrestritamente; elas não recomendam a seus integrantes nada mais do que certas práticas e ações que satisfaçam a suas obrigações, deixando-os livres para todas as outras ações e momentos de suas vidas. Contudo, esta devoção leva o consagrado a dar sem restrições, a Jesus e a Maria, todos os seus pensamentos, palavras, atos e sofrimentos, e todos os instantes de sua vida, de modo que, quer dormindo, quer acordado, quer comendo, quer bebendo, quer realizando os atos mais grandiosos, quer os mais insignificantes, é sempre verdadeiro dizer que tudo o que ele faz, ainda que não o pense, é para Jesus e para Maria, em virtude de sua oferenda, que ele o faz - a menos que tenha expressamente declinado dela. Que consolação!

137. Além do mais, como disse anteriormente, nenhuma outra prática senão esta permite desfazer-nos facilmente de certa propriedade que se imiscui imperceptivelmente nas melhores ações; e nosso bom Jesus dá essa grande graça como recompensa pela ação heroica e desinteressada que realizamos, cedendo-lhe, pelas mãos de sua santa Mãe, todo o valor de suas boas obras. Se Ele dá cem vezes mais, mesmo neste mundo, àqueles que, por seu amor, deixam os bens exteriores, transitórios e perecíveis (ver Mt 19,20), quanto mais Ele dará àquele que lhe sacrificar mesmo os bens interiores e espirituais!

138. Jesus, nosso melhor amigo, deu-se a nós de maneira irrestrita: seu corpo e sua alma, suas virtudes, graças e méritos. Assim, se "Ele me ganhou todo inteiro ao dar-se todo a mim (*Se toto totum me comparavit*)", conforme São Bernardo de Claraval disse, não consiste em justiça e reconhecimento que nós lhe demos tudo o que pudermos lhe dar? Ele foi generoso em relação a nós primeiramente; ajamos também nós com liberalidade depois dele, e faremos a experiência, por toda a nossa vida, assim como no momento de nossa morte e por toda a eternidade, de sua generosidade ainda maior: *Cum liberali liberalis erit*.

Artigo segundo: Esta devoção nos faz imitar o exemplo dado por Jesus Cristo e pelo próprio Deus, e praticar a humildade

139. A *segunda razão* nos faz ver quão justo em si mesmo e de grande vantagem é para o cristão consagrar-se totalmente à Santíssima Virgem pela presente prática, de modo a pertencer com maior perfeição a Jesus Cristo. Esse bom Mestre não manifestou desdém por confinar-se no ventre da Santa Virgem como um prisioneiro e escravo de amor, nem por ser-lhe submisso e obediente ao longo de trinta anos. Digo mais uma vez que é aqui que o espírito humano se perde ao fazer uma reflexão séria e profunda sobre tal conduta da Sabedoria encarnada, que não quis, ainda que pudesse fazê-lo, dar-se diretamente aos homens, e sim pela Santíssima Virgem; que não quis vir ao mundo com a idade de um homem perfeito, sem depender de outros, e sim como uma criança pobre e indefesa, dependente dos cuidados e da proteção de sua santa Mãe. Essa Sabedoria eterna, que tinha um desejo infinito de glorificar a Deus, seu Pai, e redimir a humanidade, não achou outro caminho mais perfeito e mais curto para fazê-lo do que se submetendo em tudo à Santíssima Virgem, não somente durante os oito, dez ou quinze primeiros anos de sua vida, como as outras crianças, mas por trinta anos; e ele deu maior glória a Deus, seu Pai, durante todo esse tempo de submissão e dependência da Santíssima Virgem, do que poderia ter feito se empregasse esses trinta anos para operar maravilhas, pregar por toda a terra, converter todos os homens; se fosse de outro modo, ele o teria feito. Portanto, glorifiquemos sobremaneira a Deus submetendo-nos a Maria, seguindo o exemplo de Jesus!

Tendo diante de nossos olhos um exemplo tão visível e tão conhecido por todos, somos suficientemente tolos para achar que podemos encontrar um caminho mais perfeito e mais curto para render glórias a Deus do que pela submissão a Maria, imitando seu Filho?

140. Lembremo-nos aqui, como prova da dependência que devemos ter em relação à Santíssima Virgem, do que eu disse acima, ao referir os exemplos que nos são dados pelo Pai, pelo Filho e pelo Espírito Santo, na dependência que devemos ter da Santíssima Virgem. O Pai não deu e não dá seu Filho senão por ela, não constitui filhos para si a não ser por ela e não comunica suas graças senão por ela. Deus Filho não foi formado para todo o mundo, e engendrado, senão por ela, na união com o Espírito Santo, e não distribui seus méritos e virtudes senão por ela. O Espírito Santo não formou Jesus Cristo senão por ela, como também não forma os membros de seu Corpo místico senão por ela, e não concede seus dons e favores senão por ela. Com tão contundentes exemplos que recebemos da Santíssima Trindade, podemos ainda, a não ser estando completamente cegos, ficar sem Maria, e não nos consagrar a ela, nem depender dela para nos encaminhar para Deus e nos sacrificar a ele?

141. Citarei abaixo alguns trechos em latim dos Padres da Igreja que selecionei para provar tudo quanto acabo de afirmar:

> *Duo filii Mariae sunt, homo Deus et homo purus; unius corporaliter; et alterius spiritualiter mater est Maria* – "Dois são os filhos de Maria: o homem Deus e o homem puro; um, corporalmente; o outro, espiritualmente" (São Boaventura e Orígenes).[1]
> *Haec est voluntas Dei, qui totum nos voluit habere per Mariam; ac proinde, si quid spei, si quid gratiae, si quid salutis ab ea noverimus redundare* – "Esta é a vontade de Deus, que quis recebêssemos tudo por Maria. Se, pois, temos alguma esperança, alguma

---

[1] *Speculum de Beata Maria Virgine*, III.1.2.

graça, algum dom salutar, saibamos que nos vêm dela" (São Bernardo).[2]
Omnia dona, virtutes et gratiae ipsius Spiritus Sancti, quibus vult, quando vult, quomodo vult et quantum vult per ipsius manus administrantur – "Todos os dons, virtudes e graças do Espírito Santo são dispensados pelas mãos de Maria, a quem ela quer, quando quer, como quer e quanto quer" (São Bernardino).[3]
Qui indignus eras cui daretur, datum est Mariae, ut per eam acciperes quidquid haberes – "Porque eras indigno de receber as graças divinas, elas foram dadas a Maria, a fim de que tudo recebas por ela" (São Bernardo).

142. São Bernardo declara que Deus, percebendo quão indignos somos de receber suas graças imediatamente de suas mãos, as confia a Maria, para que dela recebamos tudo o que Ele desejar nos dar. Por outro lado, Ele também se dignou ser glorificado em receber pelas mãos de Maria o reconhecimento, o respeito e o amor que a Ele devemos por suas maravilhas. Portanto, é deveras justo que imitemos tal atitude divina, a fim de que, como ainda afirma o mesmo São Bernardo, a graça retorne a seu autor, pelo mesmo canal do qual partiu: *Ut eodem alveo ad largitorem gratia redeat quo fluxit.*[4]

Nesse sentido, é isto que esta devoção nos permite realizar: oferecemos e consagramos tudo o que somos e tudo o que temos à Santíssima Virgem, a fim de que Nosso Senhor receba, por intermédio dela, a glória e o reconhecimento que a Ele devemos. Somos conscientes de nossa indignidade e incapacidade de nos aproximarmos de sua infinita Majestade por nós mesmos, razão pela qual recorremos à intercessão da Santíssima Virgem.

---

[2] *De aquaeductu*, n. 6.
[3] *Sermo in Nativitate B. Mariae Virgine*, cap. 8.
[4] *De aquaeductu*, n. 18.

143. Por outro lado, esta consiste numa prática de grande humildade, que Deus ama acima das outras virtudes. Uma alma que se eleva rebaixa Deus; uma alma que se humilha exalta Deus, que resiste aos soberbos e dá sua graça aos humildes: se você se humilhar, crendo-se indigno de comparecer diante dele e de aproximar-se dele, Ele desce, se abaixa para vir até você, para deleitar-se em você, e para elevá-lo, apesar de suas condições. Contudo, bem ao contrário, quando nos aproximamos de Deus com insolência, sem um mediador, Deus se esvai e não podemos alcançá-lo. Oh! Como lhe apraz a humildade de coração! É a essa humildade que esta prática de devoção prepara, pois ela ensina a jamais nos aproximar-nos por nós mesmos de Nosso Senhor, por mais misericordioso e manso que Ele seja, mas a recorrermos sempre à intercessão da Santa Virgem, seja para comparecer diante de Deus, seja para falar com ele, seja para aproximar-nos dele, seja para ofertar-lhe algo, seja para nos unirmos e nos consagrarmos a ele.

Artigo terceiro: Esta devoção nos concede os benefícios da Santíssima Virgem

144. *Terceira razão.* A Santíssima Virgem, que é uma Mãe doce e misericordiosa, e nunca se deixa superar em amor e generosidade, percebendo que nos damos completamente a ela para servi-la e honrá-la, abrindo mão do que temos de mais precioso para com isso enfeitá-la, se dá também completamente e de um modo inefável àquele que lhe entrega tudo. Ela o absorve no abismo de suas graças, o adorna com seus méritos, o sustenta com seu poder, o ilumina com sua claridade, o abrasa com seu amor, comunicando-lhe suas virtudes - sua humildade, sua fé, sua pureza... - e tornando-se sua fiadora, sua garantia e seu tudo em relação a Jesus. Por fim, assim como esse devoto consagrado é totalmente de Maria, Maria é também totalmente dele, sendo possível dizer, por conseguinte, desse perfeito servo e filho de Maria o que o próprio evangelista João diz de si mesmo, tendo eleito a Santíssima Virgem como toda a sua riqueza: *Accepit eam discipulus in sua* ("E desde essa hora o discípulo a recebeu em casa", Jo 19,27).

145. Isso engendra na alma do devoto fiel uma grande desconfiança, ódio e desprezo de si, uma grande confiança, um imenso abandono à Santíssima Virgem, sua boa mestra. Ele já não se apoia mais, como outrora, em suas próprias disposições, intenções, méritos, virtudes e boas obras, porque, tendo feito a oblação total de si mesmo a Jesus Cristo por essa Mãe amável, ele não tem mais do que um único tesouro, onde se encontram todos os seus bens, mas que não se acha guardado em sua casa, e esse tesouro é Maria. E isso o aproxima de Nosso Senhor sem temor servil ou escrupuloso, fazendo-o rezar com muito maior confiança; também o faz comungar dos mesmos sentimentos do sábio e devoto abade Ruperto, que, referindo-se à vitória de Jacó sobre uma criatura celestial, dirigiu-se à Santíssima Virgem com as seguintes belíssimas palavras: "Ó Maria, minha Princesa e Mãe imaculada de um Deus [que se fez] Homem, Jesus Cristo, eu quero lutar com esse Homem, ou seja, o Verbo divino, munido não de meus próprios méritos, mas dos vossos" – *O Domina, Dei Genitrix, Maria, et incorrupta Mater Dei et hominis, non meis, sed tuis armatus meritis, cum isto Viro, scilicet Verbo Dei, luctari cupio* (*Rup. prolog. in Cantic.*). Oh! Quão poderosos e fortes junto a Jesus Cristo somos quando temos as armas dos méritos e da intercessão de tão digna Mãe de Deus, que, como diz Santo Agostinho, amorosamente venceu o Todo-Poderoso!

146. Como, por esta prática, damos a Nosso Senhor, pelas mãos de sua santa Mãe, todas as nossas boas obras, essa Mestra bondosa as purifica, as embeleza e as torna aceitáveis junto a seu Filho.

1) Ela as limpa de toda sujeira do amor-próprio e do apego imperceptível à criatura, o qual se intromete insensivelmente nas melhores ações, que então passaram para suas mãos tão puras e fecundas; essas mesmas mãos, que nunca foram marcadas pela esterilidade ou pela ociosidade, e que purificam tudo aquilo que tocam, expelem do presente que lhe damos tudo o que possa haver de deteriorado ou imperfeito.

147. 2) Ela também torna nossas melhores ações mais belas, adornando-as com seus méritos e virtudes, como quando um camponês que, desejando conquistar a amizade e a benevolência do rei, se dirige à rainha e lhe apresenta uma maçã, que constitui todo o seu ganho, com o objetivo de que a rainha a entregue ao rei. A rainha, aceitando o pobre e humilde presente do camponês, colocaria essa maçã sobre um grande e belo prato de ouro, e a apresentaria assim ao rei da parte do camponês; por consequência, embora indigna em si mesma de ser oferecida ao rei, a maçã se tornaria um presente digno de sua majestade, tendo em vista o prato de ouro onde foi deposta e a pessoa por quem é apresentada.

148. 3) Ela encaminha essas boas obras a Jesus Cristo, pois não guarda para si nada do que lhe apresentamos, como se ela fosse o fim último de tudo o que lhe entregamos, mas remete-o fielmente a Jesus Cristo. Se lhe damos algo, o damos necessariamente a Jesus; se a louvamos e a glorificamos, ela imediatamente louva e glorifica Jesus. Assim como outrora, quando Isabel a louvou, também hoje ela cantou ao ouvir nossos louvores e bendizeres: *Magnificat anima mea Dominum* – "Minha alma engrandece ao Senhor" (Lc 1,46).

149. 4) Ela torna agradáveis a Jesus nossas boas obras, por menor e insignificante que seja nosso presente para o Santo dos santos e Rei dos reis. Ao apresentarmos algo a Jesus, por nós mesmos e apoiados em nossas capacidades e disposições, Jesus avalia o presente, e muitas vezes o dispensa, em razão da impureza inserida nele por nosso amor-próprio. Assim também, no passado, Ele rejeitou os sacrifícios dos judeus plenos de vontade própria. Mas, quando lhe oferecemos algo pelas mãos puras e virginais de sua amada Mãe, o pegamos pelo ponto fraco, se nos for permitido usar essa expressão; desse modo, Ele não leva tanto em consideração a coisa que lhe damos, mas, sobretudo, a pessoa de quem a recebe: sua Mãe. Também não lhe interessa tanto de onde vem tal presente, mas principalmente aquela por quem Ele vem. Assim, Maria, que nunca é rejeitada, mas sempre bem recebida por seu Filho, possibilita que tudo o que ofertamos a Ele, de pequeno ou de grande, seja agradavelmente acolhido por sua Majestade; basta a Maria apresentar-lhe para que Ele o receba e aquiesça. Tal era o grande conselho que São Bernardo dava àqueles e àquelas que ele conduzia à perfeição: "Quando você quiser oferecer algo a Deus, tenha o cuidado de oferecer-lhe pelas mãos agradabilíssimas e digníssimas de Maria, a não ser que você queira ser rejeitado" – *Modicum quod offere desideras, manibus Mariae offerendum tradere cura, si non vis sustinere repulsam* (São Bernardo, *Lib. de Aquaed.*).

150. Não é isso que a própria natureza sugere aos pequenos em face dos grandes, como vimos acima? Por que a graça não nos impelirá a agir do mesmo modo em relação a Deus, que se encontra infinitamente acima de nós, e perante o qual somos menores do que átomos? De fato, temos uma advogada tão poderosa que jamais poderia ser dispensada de sua presença; tão sábia que conhece todos os segredos para conquistar o coração divino; tão boa e caridosa que não é capaz de rejeitar quem quer que seja, por pior e menor que seja. Logo à frente situarei a alegoria legítima das verdades que digo na história de Jacó e Rebeca.

Artigo quarto: Esta devoção é um meio excelente de promoção da maior glória de Deus

151. *Quarta razão.* Quando praticada com fidelidade, esta devoção contribui de modo excelente para que o valor de todas as nossas boas obras seja empregado para a maior glória de Deus. Praticamente ninguém age com tal nobre fim, ainda que tenha sido obrigado, seja porque não tem conhecimento de onde se encontra a maior glória de Deus, seja porque esta não lhe interessa. Contudo, um perfeito servidor da Santíssima Virgem – a quem concedemos o valor e o mérito de nossas boas obras, a ela que sabe com imensa perfeição onde se encontra a maior glória de Deus, e nada mais faz do que buscar a maior glória divina –, que se consagrou totalmente a ela, como dissemos, pode ter a audácia de dizer que o valor de todas as suas ações, pensamentos e palavras é investido para a maior glória de Deus, a menos que queira desfazer expressamente sua oferenda. Pode haver maior alento para uma alma que ama a Deus com amor puro e gratuito, e que antepõe a maior glória e os interesses de Deus aos próprios interesses?

Artigo quinto: Esta devoção é um caminho para chegar à união com Nosso Senhor

152. *Quinta razão.* A presente devoção é um caminho *fácil, curto, perfeito e garantido* para chegar à união com Nosso Senhor, em que consiste a perfeição do cristão.

Esta devoção é um caminho fácil

1) É um caminho fácil pelo fato de ser um caminho aberto por Jesus Cristo ao vir até nós e no qual não existe qualquer obstáculo para chegar até ele. É possível, verdadeiramente, chegar à união divina por outros caminhos, mas será ao preço de muitas cruzes, mortes estranhas e de muitas outras dificuldades, que só venceríamos com grande esforço. Será preciso atravessar noites escuras, enfrentar pelejas e agonias jamais vistas, cruzar montanhas sinuosas, espinheiros cortantes e desertos inóspitos. Pelo caminho de Maria, no entanto, podemos passar com maior leveza e tranquilidade. Nele encontramos, verdadeiramente, grandes batalhas a enfrentar e enormes dificuldades a transpor, mas essa bondosa Mãe e Mestra se faz tão próxima e tão presente a seus fiéis servidores, para iluminá-los em suas trevas, para esclarecê-los em suas dúvidas, para assegurá-los em seus temores, sustentá-los em suas lutas e dificuldades que, de fato, esse caminho virginal para encontrar Jesus Cristo consiste num caminho repleto de rosas e de mel, se comparado aos outros caminhos. Alguns santos, mas não muitos - como Santo Efrém, São João Damasceno, São Bernardo, São Bernardino, São Boaventura, São Francisco de Sales, entre outros -, andaram por esse caminho suave para chegar até Jesus, porquanto o Espírito Santo, fiel Esposo de Maria, lhes apontou a direção por uma graça singular. Contudo, todos os outros santos, que são mais numerosos, embora tivessem devoção pela Santíssima Virgem, não trilharam essa estrada, ou muito pouco. Essa foi a razão para as provas perigosas e pesadas pelas quais passaram.

153. De onde vem, portanto, poderá questionar algum servo fiel de Maria, que os servos fiéis dessa Mãe querida tenham tanta oportunidade de sofrer, e ainda mais do que os outros que não são tão devotos dela? Eles são perseguidos, caluniados, refutados, execrados; ou então caminham por trevas interiores e desertos sobre os quais não cai a menor gota de orvalho do céu. Se essa devoção à Santa Virgem torna o caminho para encontrar Jesus Cristo mais fácil, de onde vem que eles sejam os mais crucificados?

154. A ele eu respondo ser bem certo que os servos mais fiéis da Santa Virgem, sendo seus grandes prediletos, recebem dela as maiores graças e os melhores benefícios celestes, que são as cruzes. No entanto, afirmo serem também esses servidores de Maria que suportam essas cruzes com mais facilidade, melhor mérito e maior glória. Além do mais, aquilo que obrigaria mil vezes um outro parar ou cair não os detém nem mesmo uma vez, mas, pelo contrário, os empurra para a frente, uma vez que essa Mãe amorosa, tão plena de graça e ungida pelo Espírito Santo, confeita todas essas cruzes que ela mesma esculpe, no açúcar de sua maternal doçura e na unção de seu puro amor, de modo que eles as saboreiam como amêndoas confeitadas, não obstante sejam em si mesmas de enorme amargor. E acredito que uma pessoa que deseja ser devota e viver de maneira piedosa em Jesus, de modo a sofrer perseguição e a carregar sua cruz dia após dia, jamais carregará cruzes demasiado grandes, ou não as carregará com alegria, até o fim, sem uma devoção cheia de ternura pela Santa Virgem, que é o confeito das cruzes, assim como uma pessoa não poderá comer sem grande violência, que não será duradoura, nozes verdes sem terem sido confeitadas no açúcar.

Esta devoção é um caminho curto

155. Esta devoção à Santíssima Virgem constitui um caminho curto para encontrar Jesus Cristo, seja porque nele não nos perdemos, seja porque, como disse há pouco, nele caminhamos de modo mais alegre e fácil, e, por conseguinte, com mais comprometimento. Progredimos mais, em pouco tempo de submissão a Maria e de dependência dela, do que em anos inteiros de apego a nossa própria vontade e de apoio sobre nós mesmos. Pois um homem obediente e submisso à divina Maria cantará vitórias alcançadas sobre todos os seus adversários. É verdade que estes farão de tudo para impedi-lo de caminhar, ou obrigá-lo a voltar atrás, ou fazê-lo cair, mas com o sustento, a ajuda e a direção de Maria, sem voltar atrás nem demorar, ele seguirá em frente com passos de gigante, na direção de Cristo, pela mesma estrada da qual se escreveu que Jesus veio até nós com passos de gigante e por pouco tempo (cf. Sl 18,6).

156. Por que você acha que Jesus Cristo viveu tão pouco neste mundo e, nos poucos anos que viveu, passou praticamente toda a sua vida submisso e obediente a sua Mãe? Ah! Foi porque, não obstante tenha concluído logo sua missão sobre a terra, Ele viveu muito tempo, e muito mais que Adão, o qual viveu mais de novecentos anos e cujos estragos Ele veio reparar; e Jesus viveu muito tempo porque viveu na submissão e perfeita união com sua santa Mãe para obedecer a Deus, seu Pai, pois:

1) Aquele que honra sua mãe se parece com um homem que acumula um tesouro, conforme afirma o Espírito Santo, ou seja, aquele que honra Maria, sua Mãe, de tal modo a submeter-se a ela, obedecendo-a em todas as coisas, logo se tornará rico, pois ajunta diariamente tesouros, segundo o preceito desta pedra filosofal: *Qui honorat matrem, quasi qui thesaurizat* ("Quem respeita sua mãe é como quem ajunta um tesouro", Eclo 3,4);
2) Porque, de acordo com uma interpretação espiritual desta asserção do Espírito Santo: *Senectus mea in misericordia uberi* ("Minha velhice está na misericórdia do seio", cf. Sl 91,11), é no seio de Maria – *que abrigou e gerou um homem perfeito* (cf. Jr 31,22), e *foi capaz de conter Aquele que nem todo o Universo*

> *pode compreender ou conter* – que os jovens se tornam experientes em luz, santidade, conhecimento e sabedoria, e que se alcança, em poucos anos, a plenitude da idade de Cristo.

Esta devoção é um caminho perfeito

157. 3) A presente prática de devoção à Santíssima Virgem constitui um caminho perfeito para alcançar Jesus Cristo e unir-se a ele, uma vez que a divina Maria é a mais perfeita e a mais santa dentre as mais puras criaturas, e Jesus Cristo, que veio até nós do modo mais perfeito possível, não pegou outra estrada para realizar sua grande e admirável missão. O Altíssimo, o Incompreensível, o Inacessível, Aquele que é, quis vir até nós, ínfimos vermes da terra, que não somos mais que um nada. Como isso foi possível? O Altíssimo desceu até nós, de maneira perfeita e divina, por meio da humilde Maria, sem que fossem corrompidas sua divindade e santidade; desse modo, é por Maria que os mais humildes devem subir, de modo perfeito e divino, até o Altíssimo, sem nada temer. O Incompreensível permitiu ser compreendido e contido perfeitamente pela pequena Maria, sem que sua imensidão recrudescesse; é também pela pequena Maria que temos o dever de nos permitir ser contidos e conduzidos de modo perfeito e irrestrito. O Inacessível se aproximou de nossa humanidade, unindo-se a ela, por Maria, estreita, perfeita e mesmo pessoalmente, motivo pelo qual devemos nos aproximar de Deus e nos unir a sua Majestade de forma estreita e perfeita, sem medo de sermos rejeitados. Enfim, Aquele que é quis vir para o que não é, e permitir que aquilo que não é se torne Deus ou Aquele que é; isso se realizou perfeitamente quando Ele se deu e se submeteu inteiramente à jovem Virgem Maria, sem que deixasse de ser, ao entrar no tempo, Aquele que é desde toda a eternidade: assim também, ainda que não sejamos nada, é por Maria que podemos nos tornar semelhantes a Deus, pela graça e a glória, ao nos entregar a ela de modo tão perfeito e total que não sejamos nada em nós mesmos e tudo nela, sem medo de nos equivocar.

158. Mesmo que eu encontre um caminho novo para chegar até Jesus, e que esse caminho seja formado por todos os méritos e por todas as virtudes heroicas dos bem-aventurados, iluminado e embelezado por todas as luzes e esplendores dos anjos, e que nele estejam presentes todos os santos e anjos para conduzir, proteger e apoiar aqueles e aquelas que quiserem atravessá-lo: em verdade, em verdade – e sou ousado em dizê-lo, além de estar dizendo a verdade! –, a esse caminho, que já seria tão perfeito, eu preferiria a estrada imaculada de Maria: *Posui immaculatam viam meam* ("É Ele o Deus que me cinge com poder e torna seguro o meu caminho", Sl 18,33), estrada ou caminho sem qualquer sujeira ou impureza, sem pecado original nem atual, sem sombras nem trevas; e se meu amado Jesus vier em glória uma segunda vez sobre a terra (como é certo que virá) para estabelecer o seu Reino, Ele não escolherá outra via para seu itinerário que não a divina Maria, pela qual Ele veio de um modo perfeito e seguro da primeira vez. A diferença entre sua primeira vinda e a última é que a primeira foi em segredo e às escondidas, ao passo que a segunda há de ser cheia de glória e esplendor; mas tanto uma como a outra são perfeitas, já que ambas serão por Maria! De fato, eis aqui um mistério que não se pode compreender: *Hic taceat omnis lingua* ["Emudeça aqui toda língua"].

Esta devoção é um caminho garantido

159. 4) Esta devoção é um caminho *garantido* para chegar até Jesus e alcançar a perfeição por meio da união com ele:

1°) Porque esta prática por mim ensinada não é uma novidade, sendo, ao contrário, tão antiga que não é possível – como

> diz o bispo dom Boudon, falecido há não muito tempo em odor de santidade, no livro que ele dedicou a esta devoção – datar seu início. Contudo, é certo que, remontando a pelo menos sete séculos, podem-se identificar as marcas dela na Igreja.

Santo Odilon, abade de Cluny, que viveu nos idos do ano 1040, foi um dos primeiros devotos a praticá-la publicamente na França, como consta de sua biografia.

O cardeal Pedro Damião relata que seu irmão, o bem-aventurado Marinho, no ano de 1076, tornou-se escravo da Santíssima Virgem, diante de seu diretor espiritual, de maneira muito edificante, na medida em que colocou uma corda, assumiu a disciplina e pôs sobre o altar uma soma de dinheiro, com o objetivo de efetivar sua consagração e dedicação à Santíssima Virgem, às quais ele deu fiel prosseguimento por toda a sua vida, de tal modo que mereceu ser visitado e consolado por sua bondosa Mestra na ocasião de sua morte, como também receber de seus lábios as promessas do paraíso como recompensa pelos serviços a ela prestados.

Cesarius Bollandus faz menção a um ilustre cavaleiro, Vautier de Birbak, parente próximo dos duques de Louvain, o qual, em 1300, aproximadamente, realizou esta consagração de si mesmo à Santíssima Virgem.

Esta devoção passou a ser uma prática comum de inúmeros indivíduos até o século XVII, quando se tornou pública.

160. O padre Simon de Rojas, da Ordem da Trindade, também conhecida como Ordem da redenção dos cativos, pregador na corte do rei Filipe III, difundiu esta devoção por toda a Espanha e Alemanha, obtendo, de Gregório XV, e sob a jurisdição de Filipe III, grandes indulgências para aqueles que a praticassem.

O reverendo padre de Los Rios, da Ordem de Santo Agostinho, juntamente com seu amigo, o padre de Rojas, empenhou-se em disseminar essa devoção, mediante discursos e escritos, na Espanha e na Alemanha, compondo, assim, uma volumosa obra de nome *Hierarchia Mariana*, na qual ele aborda, com iguais piedade e erudição, a antiguidade, excelência e os fundamentos desta devoção.

No século passado,[5] os reverendos padres teatinos promoveram esta devoção na Itália, na Sicília e na Savoia.

161. O reverendo padre Stanislas Phalacius, da Companhia de Jesus, fez muito por esta devoção na Polônia. O padre de Los Rios, em sua obra citada acima, refere os nomes dos príncipes, princesas, bispos e cardeais de diferentes reinos que abraçaram esta devoção.

O padre Cornelius a Lapide, um exemplo tanto por sua piedade como por sua ciência profunda, foi incumbido por vários bispos e teólogos de examinar esta devoção e, depois de avaliá-la minuciosamente, deu sobre ela um parecer repleto de louvores, dignos de sua piedade, sendo depois seguido por vários outros personagens notáveis.

Os reverendos padres jesuítas, sempre marcados pelo zelo no serviço da Santíssima Virgem, apresentaram, em nome dos congreganistas de Colônia, um breve tratado sobre esta devoção ao duque Ferdinando da Baviera, então arcebispo de Colônia, que o aprovou e deu permissão para que fosse impresso, convidando todos os párocos e religiosos de sua diocese a promover, tanto quanto possível, esta sólida devoção.

162. O cardeal de Bérulle, de grata e bendita memória em toda a França, foi um dos que manifestou maior zelo por

---

[5] Século XVII. (N.T.)

difundir em todo o país esta devoção, não obstante todas as calúnias e perseguições a ele dirigidas por críticos e dissolutos, que o acusaram de invencionice e superstição, escrevendo e publicando contra ele um texto caluniador. Esses ainda se serviram – ou o demônio, por intermédio deles – de inúmeras artimanhas para impedi-lo de difundir esta devoção na França. Mas esse homem de grandeza e santidade sem par respondeu a tais difamações com paciência, e, às objeções apresentadas no panfleto, respondeu com um breve texto em que os contesta com propriedade, demonstrando-lhes que esta devoção tem como base e fundamento nada mais do que o exemplo de Jesus Cristo, e as obrigações que a Ele devemos, assim como as promessas que fizemos no santo batismo. E é particularmente por essa última razão que ele faz seus adversários calarem a boca, levando-os a enxergar que esta consagração à Santíssima Virgem e a Jesus Cristo por suas mãos não passa de uma perfeita renovação dos votos e promessas do batismo. Ele afirmou muitas coisas bonitas sobre esta prática, as quais podemos ler em suas obras.

163. É possível ler no livro de dom Boudon acima citado as referências aos diferentes Papas que aprovaram esta devoção, aos teólogos que dela trataram e aos perseguidores que ela teve e venceu, como também aos milhares de pessoas que a abraçaram, sem receber qualquer condenação por parte de algum Papa – o que só se poderia fazer com a destruição dos fundamentos do cristianismo.

Permanece, portanto, inquestionável o fato de que esta devoção não é nova, porém só não é comum porque é demasiado preciosa para ser experimentada e praticada por todo mundo.

164. 2°) Esta devoção se configura como um meio *garantido* para chegar a Jesus, sendo um atributo próprio da Santa Virgem nos conduzir de modo seguro a Jesus, assim como um atributo próprio de Jesus Cristo é nos conduzir de modo certo ao Pai eterno. E que as pessoas com espiritualidade não caiam no equívoco de acreditar que Maria constitua um impedimento para alcançar a união divina. De fato, aquela que encontrou graça diante de Deus para todo o mundo em geral, e para cada um em particular, poderia impedir uma alma de encontrar a grande graça da união com ele? Seria possível que aquela que foi tão cheia de graças - que esteve tão unida a Deus e foi transformada nele, para assim Ele poder encarnar-se nela - impeça que uma alma se una perfeitamente a Deus?

É certo que a visão de outras criaturas, mesmo as santas, pode contribuir para a postergação da união divina, mas não Maria, como já disse e não me cansarei de repetir. Um motivo pelo qual pouquíssimas almas alcançam a plenitude da idade de Jesus é que Maria, que é, mais do que nunca, a Mãe de Jesus e a Esposa fecunda do Espírito Santo, ainda não tomou a forma necessária em seus corações. Quem desejar ter o fruto maduro e bem formado, deve ter a árvore que o produz; quem desejar ter o fruto da vida, que é Jesus Cristo, deve ter Maria, que é a árvore da vida. Quem desejar ter em si a operação do Espírito Santo, deve ter sua Esposa fiel e indissolúvel, a divina Maria, que o torna fértil e fecundo, conforme afirmamos acima.

165. Sendo assim, esteja convencido de que, quanto mais você olhar para Maria em suas orações, contemplações, ações e sofrimentos - caso não seja com um olhar distinto e atento, ao menos então com um olhar geral e imperceptível -, mais perfeitamente encontrará Jesus Cristo, que está sempre com Maria - grande, poderoso, atuante e incompreensivo -, mais do que no céu ou com qualquer outra criatura do universo. Assim completamente imersa em Deus, a divina Maria está muito longe de representar um obstáculo para os perfeitos chegarem à união com Deus, de modo que jamais houve até o presente momento, nem haverá outra criatura capaz de nos ajudar de modo mais efetivo e adequado nessa grande meta, quer pelas graças que ela nos transmitirá, necessárias a tal efeito (sendo que ninguém é preenchido pelo pensamento de Deus a não ser por ela, como disse um santo:[6] *Nemo cogitatione Dei repletur nisi per te*), quer pelos enganos e seduções do espírito maligno, dos quais ela nos defenderá.

166. Onde quer que esteja Maria, não pode estar o espírito maligno. E um dos melhores indícios de que estamos sendo conduzidos pelo espírito do bem é o fato de sermos bastante devotos de Maria, de amiúde pensarmos nela e de falarmos dela inúmeras vezes. Também um santo corrobora essa afirmação ao dizer que, assim como a respiração é uma excelente prova de que o corpo está vivo, o pensamento frequente e a invocação carinhosa a Maria são uma comprovação certa de que a alma não está morta pelo pecado.[7]

167. Como Maria apenas - conforme diz a Igreja e o Espírito Santo que a conduz - tem a capacidade de sozinha dissolver todas as heresias - *Sola cunctas haereses interemisti in universo mundo*[8] –, ainda que os críticos esperneiem, jamais um devoto fiel de Maria aderirá a qualquer heresia ou na menor ilusão. Talvez ele possa errar de um ponto de vista material, acreditar ser a mentira uma verdade ou o espírito maligno um espírito bom, embora com maior dificuldade que qualquer outro, mas por fim acabará admitindo seu erro material, cedo ou tarde, e quando assim o fizer, não insistirá, em hipótese alguma, em considerar nem defender como verdadeiro aquilo que não o é.

---

[6] São Germano de Constantinopla, *Sermo 2 in Dormitione*.

[7] Idem, *Orat. in Encaenia veneranda aedis B.V.*

[8] *Ofício da Santíssima Virgem*.

168. Portanto, quem quer que seja que, sem o medo de iludir-se característico das pessoas de oração, desejar progredir no caminho da perfeição e encontrar Jesus Cristo de um modo certo e perfeito, deverá abraçar com o coração bem aberto – *corde magno et animo volenti* ("Que Ele dê a todos vocês coração capaz de honrá-lo e de praticar sua vontade, coração generoso e espírito decidido", 2Mc 1,3) – esta devoção à Santíssima Virgem, talvez por ele ainda não conhecida. Que ele entre no caminho excelente que antes desconhecia e que doravante lhe indico: *Excellentiorem viam vobis demonstro* ("Desejem os dons maiores. E agora vou mostrar para vocês um caminho bem melhor", 1Cor 12,31). Tal caminho foi marcado pelas pegadas de Jesus, a Sabedoria encarnada, nosso único chefe, de modo que o membro não poderá se perder ao decidir trilhá-lo.

Trata-se de um caminho *tranquilo*, em razão da plenitude da graça e da unção do Espírito Santo que o preenche; não nos cansamos nem voltamos para trás ao passar por ele. Trata-se de um caminho *curto*, que em pouco tempo nos leva até Jesus. Trata-se de um caminho *perfeito*, no qual não se encontra nenhum vestígio de lama, nem de poeira, nem o menor odor de pecado. Por fim, trata-se de um caminho *garantido*, que nos leva a Jesus e à vida eterna de um modo direto e certo, sem nos desviar nem para a esquerda nem para a direita. Entremos, então, por esse caminho, e nele caminhemos dia e noite, até alcançarmos a plenitude da idade de Cristo (cf. Ef 4,13).

Artigo sexto: Esta devoção dá uma grande liberdade interior

169. *Sexta razão*. A presente prática de devoção prodigaliza uma grande liberdade interior, que é a liberdade dos filhos de Deus (cf. Rm 8,21), às pessoas que a praticam com fidelidade.

De fato, assim como esta devoção nos torna escravos de Jesus Cristo, consagrando-nos totalmente a Ele em tal condição, esse bom Mestre nos recompensa por tal cativeiro de amor:

1) retirando todo escrúpulo e medo servil que diminuem, prendem e confundem a alma;
2) alargando o coração com uma confiança pura em Deus, fazendo-nos considerá-lo nosso Pai;
3) inspirando-nos um amor terno e filial.

170. Sem me dar ao trabalho de provar essa verdade por meio de razões, contento-me em referir um evento da história que li na *Vida de Madre Inês de Jesus*, religiosa jacobina, do convento de Langeac (Auvergne, França), onde morreu em odor de santidade em 1634. Tendo apenas sete anos, ela já sofria grandes dores espirituais e ouviu uma voz a lhe dizer que, se quisesse ser liberta de todos os sofrimentos, e protegida de todos os inimigos, deveria se tornar, o mais breve possível, escrava de Jesus e de sua santa Mãe Maria. Logo que chegou a sua casa, ela não tardou em dar-se inteiramente a Jesus e a Maria em tal condição, conquanto não soubesse de antemão em que consistisse tal devoção. Encontrando, então, uma corrente de ferro, colocou-a em torno dos rins, carregando-a até a morte. Tendo agido assim, todas as suas dores e escrúpulos desapareceram, e ela se viu imersa numa grande paz e expansão de coração, o que a incentivou a ensinar esta devoção a muitas outras pessoas, que, através dela, tiveram enormes progressos, como Dom Olier, fundador do Seminário São Sulpício, e diversos padres e eclesiásticos do mesmo seminário... Certa vez, a Santa Virgem apareceu-lhe e colocou em seu pescoço uma corrente de ouro, demonstrando-lhe a alegria que tinha por ela ter se tornado escrava sua e de seu Filho, e Santa Cecília, que viera com a Virgem Maria, lhe disse: "Felizes os que são fiéis escravos da Rainha do céu, pois usufruirão da verdadeira liberdade: *Tibi servire libertas*".

Artigo sétimo: Esta devoção alcança grandes bens ao nosso próximo

171. *Sétima razão.* Algo que também pode nos estimular a abraçar esta prática são os grandes bens que ela fornecerá a nosso próximo, na medida em que, por ela, exercitamos em relação a ele, de um modo excelente, a caridade, porquanto lhe damos, pelas mãos de Maria, tudo aquilo que possuímos de mais valioso, que é o valor impetratório e satisfatório de todas as nossas boas obras, sem excluir o mais insignificante bom pensamento e o mais ínfimo sofrimento. Assim, concordamos com a possibilidade de que tudo aquilo que foi por nós adquirido (em termos de satisfações), e o será até o dia de nossa morte, seja empregado, de acordo com a vontade da Santa Virgem, seja para a conversão dos pecadores, seja para a libertação das almas do purgatório. Não se trata aqui de amar o próximo de um modo perfeito? Não se trata aqui de ser o verdadeiro discípulo de Cristo, que se distingue pela caridade? Não se trata aqui do modo de converter os pecadores, sem receio de agir por vaidade, e de livrar as almas do purgatório, sem praticamente nada mais fazer do que aquilo a que todos são obrigados no estado de vida em que se encontram?

172. A fim de se conhecer a excelência dessa razão, seria necessário conhecer em que bem consiste a conversão de um pecador ou a libertação de uma alma do purgatório: trata-se de um bem infinito, muito maior do que criar o céu e a terra, uma vez que possibilita a uma alma a posse de Deus. Ainda que, mediante tal prática, alcançássemos apenas a libertação de uma alma do purgatório durante toda a nossa vida, ou convertêssemos somente um pecador, não bastaria para incentivar todo homem caridoso a aderir a ela? Mas precisamos observar que nossas boas obras, depois de passar pelas mãos de Maria, se tornam mais puras e, por conseguinte, crescem em mérito e valor satisfatório e impetratório. Por isso elas adquirem muito maior capacidade de aliviar as almas do purgatório e de converter os pecadores do que se não passassem pelas mãos virginais e pródigas de Maria. O pouco que damos à Santa Virgem, sem a orientação da própria vontade, na verdade se torna um bem poderoso para aplacar a ira de Deus e atrair sua misericórdia; e possivelmente acontecerá que uma pessoa muito fiel a esta prática terá, no momento de sua morte e por este meio, contribuído para a conversão de inúmeros pecadores e a libertação de inúmeras almas do purgatório, embora não tenha realizado senão ações relativas a seu estado de vida, ou seja, atos bastante corriqueiros. Quanta alegria haverá no momento de seu julgamento! Quanta glória ela encontrará na eternidade!

Artigo oitavo:
Esta devoção é um meio admirável de perseverança

173. *Oitava razão.* Enfim, o que nos estimula de modo mais especial, de certo modo, a esta devoção à Santíssima Virgem é o fato de ela consistir num meio admirável para perseverar na virtude e ser fiel. Com efeito, por que motivo a maior parte das conversões dos pecadores não é durável? Por que é tão fácil voltar a cair no pecado? Por que motivo a maioria dos justos, em vez de progredir de virtude em virtude e obter novas graças, amiúde acaba perdendo as poucas graças e virtudes que possui? Como sinalizei acima, esse infortúnio se deve ao fato de que o homem, sendo tão corrompido, tão fraco e inconstante, confia demasiadamente em si mesmo, apoiando-se sobre suas próprias forças e considerando-se capaz de conservar seu tesouro de graças, méritos e virtudes.

Por meio desta devoção, entregamos à Virgem Santa, que é fiel, tudo aquilo que temos; assim a elegemos como a depositária universal de todos os nossos bens naturais e espirituais, confiando-nos a sua fidelidade, apoiando-nos em seu poder, tomando como nosso fundamento sua misericórdia e caridade, a fim de que ela conserve e multiplique nossas virtudes e méritos, apesar do demônio, do mundo e da carne, que farão de tudo para roubá-los de nós. Então lhe dizemos, como um bom filho a sua mãe, e um servo fiel a sua senhora: *Depositum custodi* (1Tm 6,20); em outras palavras: Minha boa mãe e mestra, reconheço ter recebido, até o presente instante, mais graças de Deus por vossa intercessão do que mereço, e minha infeliz experiência me ensina que carrego este tesouro em recipiente frágil e que sou muito fraco e miserável para guardá-lo em mim: *adolescentulus sum ego et contemptos* ("Sou pequeno e sem importância, mas não esqueço tuas ordens" - Sl 119,141); dignai-vos receber o depósito de tudo o que tenho e conservá-lo por vossa fidelidade e poder. Com vossa guarda, nada poderei perder; com vosso sustento, em nada haverei de tropeçar; com vossa proteção, bem longe estão meus inimigos.

174. Foi o que disse São Bernardo, em termos formais, para nos incentivar a esta prática: "Quando ela o sustenta, você não cai; quando o protege, nada lhe causa medo; quando o conduz, você não fica cansado; quando ela está a seu favor, você desembarca no porto da salvação".[9]

São Boaventura também parece querer dizer a mesma coisa em termos ainda mais formais:

---

[9] *Ipsa tenente, non corruis; ipsa protegente, non metuis; ipsa duce, non fatigaris; ipsa propitia, pervenis* (*Serm. super Missus*).

A Santa Virgem não apenas se conserva na plenitude dos santos, como também conserva e guarda os santos na plenitude que lhes é própria, para que não diminua; ela não permite que as virtudes deles se percam, que os méritos deles pereçam, que as graças que receberam desapareçam, que os demônios lhes sejam danosos; enfim, não permite que Nosso Senhor os castigue quando pecaram.[10]

175. A Santíssima Virgem é a Virgem fiel que, com sua fidelidade a Deus, repara os estragos causados pela Eva infiel com sua infidelidade, conseguindo, para aqueles e aquelas que se associam a ela, a fidelidade a Deus e a perseverança. Por isso um santo a comparou a uma âncora bem firme, que nos segura e impede de naufragar no mar tormentoso deste mundo, no qual tanta gente se perde, por não se prender a esta âncora firme: *Animas ad spem tuam sicut ad firmam anchoram alligamus* ("Prendemos nossas almas a vossa esperança, como a uma âncora firme").[11]

Foi a ela que os santos que se salvaram mais se apegaram, e levaram outros a apegar-se a ela, para que perseverassem na virtude. Portanto, são felizes, mil vezes felizes os cristãos que, a partir de agora, se prendem com fidelidade e de modo total a ela, como a uma âncora firme. Os efeitos da tempestade deste mundo não os levarão a afundar, nem a perder as riquezas celestes. São felizes aqueles e aquelas que se lançam no colo[12] da Mãe como se entrassem na arca de Noé! As águas do dilúvio de pecados,

---

[10] *Virgo non solum in plenitudine sanctorum detinetur, sed etiam in plenitudine sanctos detinet, ne plenitudo minuatur; detinet merita ne pereant; detinet gratias ne effluant; detinet daemones ne noceant; detinet Filium ne peccatores percutiat* (*Speculum B.V.* VII,6).

[11] *Animas ad spem tuam sicut ad firmam anchoram alligamus* (São João Damasceno, *Sermão sobre a dormição da Virgem Maria*).

[12] Numa tradução literal, "que entram nela": "Heureux ceux et celles qui entrent dans elle comme dans l'arche de Noé!". Optamos aqui por uma tradução mais livre. (N.T.)

que levam tanta gente a afogar-se, não lhes causará dano algum, pois *Qui operantur in me non peccabunt* ("Aqueles que estão em mim para trabalhar por sua salvação não pecarão", diz ela com a Sabedoria [Eclo 24,30]). Felizes os filhos infiéis da infeliz Eva que se associam à Mãe e Virgem, que jamais deixou de ser fiel nem jamais faltou com a verdade: *Fidelis permanet, se ipsam negare non potest* ("Se lhe somos infiéis, Ele se mantém fiel, pois não pode renegar a si mesmo", 2Tm 2,13), mas ama sempre os que a amam: *Ego diligentes me diligo* ("Eu amo os que me amam", Pr 8,17), não somente com um amor de afeto, mas com um amor efetivo e eficaz, impedindo-os, por meio de copiosas graças, desviar-se da virtude ou de tropeçar no caminho, deixando cair a graça de seu Filho.

176. Essa Mãe bondosa sempre acolhe, com pura caridade, tudo o que lhe damos em depósito; e depois de tê-lo recebido em qualidade de depositária, obriga-se por justiça a guardar-nos o que lhe demos, em virtude do contrato firmado; como uma pessoa a quem confiei mil escudos em depósito, e que teria por obrigação guardar para mim essa quantia, e caso meu dinheiro se perdesse por sua negligência, ela seria responsável perante a justiça em me ressarcir. Mas, não, jamais a fiel Maria deixará perder-se por negligência sua o que lhe confiarmos: o céu e a terra passariam antes que ela fosse negligente com apenas um dos filhos que se confiassem a sua proteção.

177. Pobres filhos de Maria: sua fraqueza é extrema, sua inconstância é imensa, seu interior está bastante deteriorado. Devo confessar que vocês foram tirados da mesma massa corrompida dos filhos de Adão e de Eva. Contudo, que isso não os desanime; sintam-se consolados e rejubilem: aqui lhes apresento o segredo que aprendi, segredo desconhecido por praticamente a totalidade dos cristãos, inclusive os mais devotos.

Não abandonem seu ouro e sua prata nos baús, que já foram arrombados pelo espírito maligno, que os levou de vocês; esses baús são excessivamente pequenos, frágeis e velhos para conservar uma riqueza tão grande e preciosa. Não despejem a água pura e clara da fonte em seus recipientes já estragados e corrompidos pelo pecado; se o pecado não estiver neles, provavelmente o odor do pecado não terá sumido e a água ficará estragada. Não coloquem seus vinhos bons em tonéis velhos, que já armazenaram vinhos de qualidade ruim: eles correriam o risco de azedar e de ainda escorrer para fora.

178. Mesmo que vocês estejam entendendo, almas predestinadas, ainda assim falarei mais francamente. Não coloquem o ouro de sua caridade, a prata de sua pureza, as águas das graças celestes, nem os vinhos de seus méritos e virtudes numa sacola rasgada, num baú velho e quebrado, num recipiente rachado e corrompido, como vocês são. Em tais circunstâncias, os ladrões os deixarão sem nada, ou seja, os demônios, que ficam de tocaia, dia e noite, à espera do momento oportuno para o ataque; em tais circunstâncias também, vocês acabarão por estragar – em virtude do mau odor do amor-próprio que vocês têm, da vontade própria e da confiança excessiva que têm em si mesmos – tudo aquilo que Deus lhes dá de mais puro.

Coloquem, despejem no colo e no coração de Maria todas as suas riquezas, todas as suas graças e virtudes, pois ela é um vaso espiritual, um vaso honorífico, um vaso insigne de devoção: *Vas spirituale, vas honorabile, vas insigne devotionis*. A partir do momento em que o próprio Deus foi contido, com todas as suas perfeições, nesse vaso, ele passou a ser totalmente espiritual e a habitação espiritual das almas mais espirituais; passou a ser honorífico, ou seja, o trono de honra dos maiores príncipes da eternidade; passou a ser insigne de devoção, ou seja, a permanência dos mais ilustres em doçura, em graças e em virtudes; finalmente, passou a ser rico como um palácio de ouro, sólido como uma torre de Davi e cândido como uma torre de marfim.

179. Oh! Como é feliz um homem que entregou tudo a Maria, confiando-se a ela em tudo, e tudo perdendo para tudo ganhar em Maria! Ele é todo de Maria, e Maria é toda sua! Ele pode ter a ousadia de afirmar como Davi: *Haec facta est mihi* ("Ela foi feita para mim", cf. Sl 118,56), ou como o Discípulo Amado: *Accepi eam in mea* ("Tomei-a como se constituísse todo o meu bem", cf. Jo 19,27), ou com Jesus Cristo: *Omnia mea tua sunt, et omnia tua mea sunt* ("Tudo o que tenho é teu, e tudo o que tens é meu", cf. Jo 17,10).

180. Se algum crítico que ler isso imaginar que aqui estou falando com exagero e devoção além da medida, infelizmente não terá compreendido o que digo, seja por ser homem carnal, que não saboreia as coisas do espírito, seja por ser do mundo, não podendo então receber o Espírito Santo, seja por ser orgulhoso e crítico, de modo a condenar e a desprezar tudo o que não compreende. Mas as almas não nascidas do sangue, nem da vontade da carne, nem da vontade do homem, mas unicamente de Deus e de Maria, me compreendem e são capazes de saborear o que digo – e é para elas também que escrevo isto.

181. No entanto, digo tanto para aqueles como para esses, retomando o tema que ficou para trás, que a divina Maria, sendo a mais honesta e pródiga dentre as criaturas mais puras, não se deixa jamais vencer em amor e generosidade. Assim, ao lhe darmos um ovo, conforme afirma um santo, ela nos devolve um boi, quer dizer, por menos que lhe demos, ela nos dá da abundância que recebeu de Deus; consequentemente, se uma alma se dá a ela irrestritamente, da mesma forma ela se dá a essa alma, assim também se colocamos toda a nossa confiança nela, sem presunção, batalhando ao seu lado para obter as virtudes e superar as paixões.

182. Ousem, portanto, os servos fiéis da Santíssima Virgem dizer como São João Damasceno: "Confiando em ti, ó Mãe de Deus, alcançarei a salvação; munido da tua proteção, de nada terei medo; com teu auxílio, enfrentarei e expulsarei meus inimigos: pois a devoção a ti é uma arma de salvação que Deus confia àqueles que deseja salvar".[13]

[13] "*Spem tuam habens, o Deipara, servabor; defensionem tuam possidens, non timebo; persequar inimicos meos et in fugam vertam, habens protectionem tuam et auxilium tuum; nam tibi devotum esse est arma quaedam salutis quae Deus his dat quos vult salvos fieri*" (João Damasceno, *Sermão sobre a Anunciação*).

CAPÍTULO VI
Figura bíblica desta perfeita devoção: Rebeca e Jacó

183. Dentre as verdades que há pouco referi sobre a Santíssima Virgem e sobre seus filhos e servos, o Espírito Santo nos sugere, na Sagrada Escritura, uma figura de grande significado, por meio da história de Jacó, que foi abençoado por seu pai Isaac graças aos cuidados e à destreza de sua mãe Rebeca.

Adiante veremos como o Espírito Santo relata essa história. Logo após, anexarei uma explicação.

Artigo primeiro: Rebeca e Jacó

História de Jacó

184. Tendo Esaú vendido a Jacó seu direito de primogenitura, Rebeca, a mãe deles, que tinha um amor terno por Jacó, assegurou-lhe a vantagem dessa compra, vários anos depois, usando de uma destreza completamente santa e plena de mistério. De fato, Isaac já estava se sentindo muito velho e, querendo abençoar seus filhos antes de morrer, chamou seu filho Esaú, a quem amava, mandando-o sair à caça de algo para comer, a fim de que então depois pudesse abençoá-lo. Rebeca logo avisou Jacó do que estava acontecendo e mandou-o pegar dois cabritos do rebanho. Quando esse os entregou a sua mãe, ela os cozinhou para o marido à maneira que ele gostava; em seguida, fez Jacó vestir-se com as roupas de Esaú, que estavam em seu poder, e cobriu suas mãos e seu pescoço com a pele dos cabritos, com o objetivo de que seu pai, que já não enxergava mais nada, pudesse, ouvindo a voz de Jacó, acreditar ao menos pelo toque dos pelos de suas mãos que se tratava de Esaú, seu irmão. Isaac, com efeito, surpreendendo-se com o som de sua voz, que lhe pareceu ser a de Jacó, convidou-o a aproximar-se dele e, tocando os pelos da pele com a qual suas mãos estavam recobertas, disse que a voz, na verdade, era de Jacó, mas as mãos eram de Esaú. Depois de comer e beijar Jacó, ao sentir o odor de suas roupas perfumadas, abençoou-o e desejou-lhe o orvalho do céu e a fecundidade da terra, estabelecendo-o, assim, o senhor de todos os seus irmãos, e concluiu a bênção com as seguintes palavras: "Seja maldito aquele que o amaldiçoar, e repleto de bênçãos aquele que o abençoar".

Assim que Isaac concluiu essas palavras, Esaú entrou com o produto de sua caça, a fim de que seu pai o abençoasse em seguida. O santo patriarca ficou então tomado por imensa admiração ao reconhecer o que acabava de acontecer; no entanto, ao contrário de se retratar do que fizera, confirmou-o, tendo percebido claramente o dedo de Deus no ocorrido.

Esaú então esperneou, como mostra a Sagrada Escritura, e, acusando alto e bom som seu irmão de enganar seu pai, perguntou a este se também não teria uma bênção para ele. Aqui se pode perceber, como salientaram os Santos Padres, a imagem daqueles que, tendo a inclinação de conciliar Deus e o mundo, querem usufruir tanto das consolações do céu como dos prazeres da terra. Isaac comoveu-se com os gritos de Esaú e, finalmente, abençoou-o, porém com uma bênção terrena, sujeitando-o a seu irmão, o que despertou em Esaú um ódio tão grande contra Jacó que ele passou a somente esperar a morte do pai para matar o irmão. Jacó não teria conseguido esquivar-se da morte se sua mãe Receba não o tivesse protegido com sua destreza e os bons conselhos que lhe dera, e que ele pôs em prática.

Interpretação da história de Jacó

185. Antes de dar qualquer explicação dessa história, que é tão bonita, deve-se observar que, de acordo com todos os Santos Padres e comentadores da Sagrada Escritura, Jacó é a figura de Jesus Cristo e de todos os redimidos, e Esaú, por sua vez, de todos os reprovados. Cabe a nós examinar as ações e o comportamento de cada um dos dois, para então tirar nossa própria conclusão.

Esaú: figura dos reprovados

1) Esaú, o mais velho, de corpo forte e vigoroso, tinha destreza no uso do arco e flecha, de modo que conseguia pegar muitos animais de caça.
2) Ele praticamente não ficava em casa e, fiando-se unicamente em sua força e habilidade, trabalhava apenas fora.
3) Não fazia grande esforço para agradar a Rebeca, sua mãe; aliás, nem fazia muita questão disso.
4) Era tão voraz e dava tanta importância a sua boca que trocou seu direito de primogenitura por um prato de lentilhas.
5) Assim como Caim, morria de inveja de seu irmão Jacó e o perseguia constantemente.

186. Este é o comportamento que os reprovados observam todos os dias:

1) Confiam na própria força e nas próprias habilidades para as questões temporais; são cheios de força, destreza e esclarecimento para as coisas terrenas, mas muito fracos e ignorantes nas coisas do céu: *In terrenis fortes, in coelestibus debiles.* Por isso:

187. 2) Não conseguem permanecer muito tempo (ou tempo algum) em sua casa, ou seja, em seu interior, que é a morada interior e essencial que Deus deu a cada homem para ali permanecer, seguindo seu exemplo: pois Deus sempre permanece dentro de si. Os reprovados não apreciam o retiro, a espiritualidade, a devoção interior, e consideram como espíritos limitados, tapados e selvagens os que têm interioridade e se retiram do mundo, que trabalham mais dentro do que fora.

188. 3) Os reprovados fazem pouco caso da devoção à Santa Virgem, a Mãe dos redimidos. De fato, embora eles não a odeiem formalmente, e até lhe deem louvores de vez em quando, dizem que a amam e praticam alguma devoção em sua honra, mas, no fim das contas, não podem admitir que alguém a ame com ternura, uma vez que não têm por ela o mesmo carinho de Jacó. Obstinam-se em criticar as práticas de devoção às quais os bons filhos e servos de Maria se esforçam em observar para conquistar sua afeição, pois não consideram que essa devoção seja necessária para sua salvação, mas que já é suficiente não odiar formalmente a Santa Virgem nem desprezar abertamente sua devoção para obter as boas graças da Santa Virgem, e que, recitar feito papagaio algumas orações em sua honra, sem demonstrar afeição por ela nem mudar de vida, já os configura como seus servos.

189. 4) Os reprovados vendem seu direito de primogenitura, trocando as delícias do paraíso por um prato de lentilhas, ou seja, pelos prazeres da terra. Eles riem, bebem, comem, se divertem, brincam, dançam etc., sem se dar ao trabalho, como Esaú, de tornar-se dignos da bênção do Pai celeste. Em três palavras, não pensam senão na terra, não amam senão a terra, não falam e não agem senão em vista da terra e de seus prazeres, trocando a graça batismal – com suas vestes brancas e a herança celeste – por uma evanescente fumaça de honra, um punhado de terra dura, amarela ou branca.

190. 5) Enfim, os reprovados abominam e perseguem incessantemente os predestinados, em segredo ou abertamente. Eles os desprezam, os criticam, os confrontam, os ofendem, os roubam, os enganam, os empobrecem, os expulsam, os reduzem a pó, ao passo que eles mesmos enriquecem, deleitam-se, gozam de prestígio, acumulam fortuna, se engrandecem e vivem com tranquilidade.

Jacó: figura dos predestinados

191. 1) Jacó, o mais novo, era de constituição física frágil, terno e sereno. Costumava permanecer em casa, para receber as boas graças de sua mãe Rebeca, a quem amava com grande ternura. Não saía de casa por vontade própria, nem pela confiança que tinha em suas próprias capacidades, mas para obedecer a sua mãe.

192. 2) Tinha grande amor por sua mãe e prestava-lhe honra. Por isso se mantinha em casa, ao lado dela. Não tinha maior alegria do que quando a via. Evitava tudo o que pudesse causar-lhe desgosto, o que aumentava em Rebeca o amor que lhe tinha.

193. Em tudo era submisso a sua querida mãe, a quem obedecia em todos os assuntos, com presteza, sem tardar, e de forma amorosa, sem murmurar. Ao menor sinal de sua vontade, o pequeno Jacó acorria e se punha a atender-lhe. Dava crédito a tudo o que ela dizia, sem refletir, como quando ela lhe pediu que trouxesse dois cabritos a serem preparados para seu pai Isaac comer e ele não lhe respondeu que somente um seria suficiente para a refeição de um só homem. Assim, sem raciocinar, fez conforme ela lhe havia dito.

194. 4) Jacó tinha grande confiança em sua prezada mãe e, como não se apoiava de modo algum em suas habilidades, apoiava-se unicamente nos cuidados e na proteção de sua mãe, a quem recorria em todas as necessidades, consultando-a também nos momentos de dúvida. Assim, por exemplo, ele perguntou a ela se, em vez de bênção, não receberia a maldição de seu pai, de modo que acreditou nela e confiou-se a ela quando esta lhe disse que assumiria para si essa maldição.

195. 5) Enfim, ele imitava, na medida de seu alcance, as virtudes evidentes de sua mãe. E, aparentemente, uma das razões para ele permanecer sedentário em casa era o desejo de imitar sua caríssima mãe, tão agraciada em virtudes, e de evitar as más companhias, que causam a corrupção dos costumes. Por conseguinte, tornou-se digno de receber a dupla bênção de seu pai.

196. Esta é também a conduta seguida diariamente pelos predestinados:

1) Permanecem em casa com a mãe, ou seja, apreciam o retiro, cultivam a interioridade, dedicam-se à oração, porém, a exemplo e na companhia de sua Mãe, a Santa Virgem, cuja glória é toda interior e que, durante a vida, gostava de recolher-se para orar. É verdade que às vezes eles saem de casa, entrando em contato com o mundo, o que somente ocorre por obediência à vontade de Deus e à vontade de sua querida Mãe, para executar os deveres de seu estado de vida. Certas coisas aparentemente grandes que eles fazem exteriormente são menos estimadas que as que são realizadas internamente, dentro de si mesmos, tendo como companhia a Santa Virgem, pois ali se realiza a grande obra de sua perfeição, diante da qual todas as outras obras não constituem senão brincadeiras de criança.

Portanto, ao passo que por vezes seus irmãos e irmãs trabalham externamente com grande afinco, destreza e êxito, recebendo o louvor e a aprovação do mundo, eles sabem, iluminados pelo Espírito Santo, que há glória, bem e prazer muito maiores em permanecer escondidos no retiro com Jesus – o modelo que escolheram seguir, numa submissão total e perfeita à Mãe que tanto estimam – do que em fazer por si mesmos maravilhas naturais e espirituais no mundo, como tantos reprovados semelhantes a Esaú. *Gloria et divitiae in domo ejus* (Sl 111,3): a glória para Deus e as riquezas para o homem são encontradas na casa de Maria.

Senhor Jesus, quão amáveis são os vossos tabernáculos! O pardal encontrou uma morada para ali se abrigar, e a rolinha, um ninho para colocar seus filhotes! Oh! Quão feliz o homem que permanece na casa de Maria, onde vós fostes o primeiro a fazer vossa morada! É nessa casa dos predestinados que ele recebe seu socorro só de vós, e que foram estabelecidas em seu coração as subidas e os degraus de todas as virtudes, para que possa elevar-se à perfeição neste vale de lágrimas! *Quam dilecta tabernacula...* (Sl 83).

197. 2) Eles amam com ternura e verdadeiramente honram a Santíssima Virgem como a boa Mãe e Mestra que têm. E não a estimam somente da boca para fora, mas em verdade; nem a honram apenas exteriormente, mas do fundo do coração. Assim como Jacó, eles evitam tudo o que possa causar-lhe desprazer e fervorosamente praticam tudo o que acreditam poder atrair sua benevolência. Eles acorrem a ela não com dois cabritos, como Jacó levou a Rebeca, mas com seus corpos e suas almas, com tudo o que eles implicam, figurados pelos dois cabritos de Jacó:

a) a fim de ela os receber como algo que lhe pertence;
b) para que ela os imole e os faça morrer ao pecado e a si mesmos, retirando-lhes a pele e o amor-próprio e, desse modo, agradando a seu Filho Jesus, que quer como amigos e discípulos somente aqueles que morreram para si mesmos;

c) a fim de ela os preparar segundo o gosto do Pai celeste, e para sua maior glória, por ela conhecida melhor do que por qualquer outra criatura;

d) a fim de que, por sua intercessão e seu zelo, esses corpos e essas almas, perfeitamente purificados de toda mácula, mortos para si mesmos, despojados e bem preparados, se tornem uma iguaria saborosa, digna da boca e da bênção do Pai do céu.

Não farão exatamente isso as pessoas predestinadas que experimentarem e praticarem a perfeita consagração a Jesus pelas mãos de Maria, que nós lhes ensinamos, com o fim de que testemunhem um amor corajoso e efetivo por Jesus e por Maria? Os reprovados afirmam constantemente amar Jesus, amar e honrar Maria, mas não se trata de uma afirmação sincera, do fundo do coração, pois não são capazes de ir até o sacrifício de seus corpos, com seus sentidos e suas almas, com suas paixões, como ocorre com os predestinados.

198. 3) Eles agem com submissão e obediência para com a Santa Virgem, como com sua boa Mãe, seguindo o exemplo de Jesus Cristo, que, dos trinta e três anos que viveu na terra, dedicou trinta para glorificar a Deus, seu Pai, por meio de uma submissão perfeita e total a sua santa Mãe. Eles lhe são obedientes, seguindo exatamente seus conselhos, como o pequeno Jacó seguia os conselhos de Rebeca, que disse a ele: *Acquiesce consiliis meis* ("Meu filho, segue meus conselhos", Gn 27,8), ou como os convidados[1] do casamento em Caná, aos quais a Santa Virgem disse: *Quodcumque dixerit vobis facite* ("Fazei tudo o que meu Filho disser", Jo 2,5). Pelo fato de ter obedecido a sua mãe,

[1] Assim no original, onde se usa a palavra "conviés" (convidados), embora nas traduções modernas a referência seja a empregados, como na *Nova Bíblia Pastoral* (Paulus, 2015): "A mãe de Jesus disse aos que estavam servindo". (N.T.)

Jacó foi milagrosamente agraciado com a bênção, não obstante fosse natural que não a recebesse. Os convidados do casamento em Caná, tendo seguido o conselho da Santa Virgem, tiveram a honra de testemunhar o primeiro milagre de Jesus, que naquela ocasião transformou a água em vinho, em virtude do pedido de sua santa Mãe. De igual maneira, todos aqueles que, até o fim do mundo, receberem a bênção do Pai dos céus e tiverem a honra das maravilhas de Deus, receberão essas graças em consequência de sua perfeita devoção a Maria. Os que se espelham em Esaú, ao contrário, perdem a bênção, por não submeter-se à Santa Virgem.

199. 4) Os predestinados possuem grande confiança na bondade e poder de sua boa mãe, a Santíssima Virgem; invocam sem cessar seu socorro; olham para ela como sua estrela polar, a fim de chegarem ao porto certo; confidenciam-lhe suas dores e necessidades com grande abertura de coração; agarram-se a seus seios de misericórdia e doçura, a fim de que, por sua intercessão, recebam o perdão de seus pecados e saboreiem suas doçuras maternais nos momentos de tribulação e amargura. Eles inclusive se precipitam, se escondem e se perdem, de maneira admirável, em seu seio amoroso e virginal, para aí ser abrasados com o puro amor, purificados das mínimas sujeiras e encontrar plenamente Jesus, que aí habita como em seu trono glorioso. Oh! Quanta felicidade. "Não pense - declarou o abade Guerric - que seja mais agradável habitar no seio de Abraão do que no seio de Maria, pois neste último o Senhor assentou seu trono".[2]

Os reprovados, ao contrário, têm absoluta confiança em si mesmos, não se alimentando senão do que se dá aos porcos, como o filho pródigo, ingerindo terra como os sapos e gostando somente das coisas visíveis e mundanas, como os mundanos;

---

[2] "Ne credideris majoris esse felicitatis habitare in sinu Abrahae quam in sinu Mariae, cum in eo Dominus posuerit thronum suum" (*Sermão I para a festa da Assunção*).

assim, de modo algum degustam as doçuras do seio e das mamas de Maria, nem experimentam o apoio e a confiança que os predestinados encontram em sua boa Mãe, a Santa Virgem. Aqueles apreciam miseravelmente sua fome das coisas externas, como afirma São Gregório,[3] pois não desejam saborear a doçura que já está pronta dentro de si mesmos e no interior de Jesus e de Maria.

200. 5) Enfim, os predestinados seguem os caminhos da Santa Virgem, sua boa Mãe, ou seja: imitando-a, e nisso consiste propriamente sua felicidade e devoção, como também o fato de que são portadores da marca indelével de sua predestinação, conforme lhes diz essa Mãe bondosa: *Beati qui custodiunt vias meas* (Pr 8,32), isto é: "Felizes os que praticam minhas virtudes e caminham nos passos de minha vida, com o auxílio da graça divina. Esses são felizes neste mundo, por toda a sua vida, em virtude da abundância de graças e doçuras que lhes transmito de minha plenitude, e em maior abundância do que àqueles que não me imitem de modo tão efetivo. Também são felizes na hora da morte, que é suave e tranquila, e à qual assisto frequentemente, para eu mesma os conduzir às alegrias da eternidade. Finalmente, eles serão felizes na eternidade, pois jamais algum de meus bons servidores, que imitou minhas virtudes enquanto viveu, foi condenado".

Os reprovados, em contrapartida, não gozam senão de infelicidade durante a vida, ao morrer e na eternidade, na medida em que não imitam as virtudes da Santíssima Virgem, porém contentam-se por vezes em participar de alguma de suas irmandades, em fazer algumas orações em sua honra, ou qualquer outra devoção superficial.

---

[3] *Homilia 36 sobre o Evangelho.*

Ó Santa Virgem, minha Mãe bondosa, como são felizes todos aqueles e aquelas que – e torno a dizê-lo com o coração enlevado! – não admitem para si a sedução de uma falsa devoção para convosco, seguindo com grande fidelidade vossos caminhos, vossos conselhos e vossas ordens! Entretanto, como são infelizes e malditos aqueles que, fazendo pouco caso de vossa devoção, não observam os mandamentos de vosso Filho: *Maledicti omnes qui declinant a mandatis tuis.*[4]

Artigo segundo: Deveres de caridade que a Santa Virgem tem para com seus fiéis servidores

201. Apresentaremos agora os deveres de caridade que a Santa Virgem, como a melhor dentre todas as mães, tem para com esses servidores fiéis, que se entregaram a ela conforme referi acima e consoante o modelo de Jacó.

1) *Ela os ama – Ego diligentes me diligo* ("Amo aqueles que me amam", Pr 8,17):

a) por ser sua Mãe de verdade. Ora, uma mãe sempre ama seu filho, fruto de seu ventre;
b) por reconhecimento, porque eles de fato a amam como sua Mãe amorosa;
c) porque, uma vez que são predestinados, Deus os ama: *Jacob dilexi, Esau autem odio habui* ("Amei Jacó, contudo me desgostei de Esaú", Rm 9,13);
d) pelo fato de terem se consagrado a ela, tornando-se sua porção e sua taça: *In Israel haereditare* (Eclo 24,13).

202. Ela os ama com ternura, e de modo mais terno do que todas as mães juntas. Se você for capaz, concentre todo o amor

---

[4] "Malditos todos os que se afastam de teus mandamentos" (Sl 119,21).

natural que as mães de todo o mundo têm por seus filhos no único coração de uma mãe por um filho único: obviamente essa mãe amará muito essa criança. No entanto, é certo que Maria ama seus filhos com maior ternura ainda do que essa mãe amaria o seu. Ela não os ama apenas com afeto, mas com eficácia. O amor que ela tem por eles é ativo e efetivo, semelhante e maior do que o amor de Rebeca por Jacó.

A seguir veremos o que essa Mãe bondosa, da qual Rebeca não era senão uma figura, faz para obter para seus filhos a bênção do Pai dos céus:

203. a) Assim como Rebeca, ela fica à espera do momento favorável para beneficiá-los, enriquecê-los e fazê-los crescer. Porquanto vê com clareza, pelo poder de Deus, todos os bens e todos os males, os bons e maus desfechos, dispõe de longe as coisas com o objetivo de livrar de todos os males seus servos, e enchê-los de toda espécie de bens, de tal modo que, se houver um desfecho feliz a se realizar pelo poder de Deus, em virtude da fidelidade de uma criatura a algum projeto elevado, é certo que Maria providenciará esse resultado exitoso a qualquer de seus bons filhos e servos, e lhe obterá a graça necessária para persistir fielmente: *Ipsa procurat negocia nostra,*[5] como disse um santo.

204. b) A eles ela oferece bons conselhos, como Rebeca fazia a Jacó: *Fili mi, acquiesce consiliis meis* ("Meu filho, segue meus conselhos). E, entre tantos conselhos, ela lhes pede que lhe tragam dois cabritos, ou seja, seus corpos e suas almas, a fim de consagrá-los a ela, que deles fará uma iguaria saborosa ao paladar de Deus, e que façam tudo o que Jesus Cristo, seu Filho, ensinou, por meio de suas palavras e exemplos. Quando não lhes dá pessoalmente seus conselhos, é pelo ministério dos anjos que

---

[5] "Ela cuida de nossos negócios." (N.T.)

ela o faz; esses, de fato, não têm honra e prazer maiores do que obedecer a alguma de suas ordens, para descer à terra e socorrer algum de seus servidores.

205. c) Quando seus devotos levam a ela e lhe consagram seus corpos e suas almas, com tudo o que lhes diz respeito, como age essa boa Mãe? Ela age como outrora agira Rebeca com os cabritos levados por Jacó:

- ela os imola, fazendo-lhes morrer a vida do velho Adão;
- ela lhes retira a pele natural, despojando-os de suas inclinações naturais, de seu amor-próprio e própria vontade, bem como de todo apego à criatura;
- ela os purifica de suas máculas, impurezas e pecados;
- ela os prepara de acordo com o gosto de Deus e para sua maior glória. Uma vez que somente ela sabe perfeitamente como satisfazer a esse gosto divino e o que contribui para a maior glória do Altíssimo, somente ela pode dispor e preparar nosso corpo a esse gosto infinitamente elevado e a essa glória infinitamente escondida, sem equivocar-se.

206. d) Depois de receber, pela devoção de que estamos tratando, a oferenda perfeita de nós mesmos, de nossos próprios méritos e satisfações, e de nos despojar de nossos velhos trajes, essa boa Mãe nos adequa e nos torna dignos de comparecer diante de nosso Pai celeste:

- Ela nos veste com as roupas limpas, caras e cheirosas de Esaú, o mais velho, ou seja, de Jesus Cristo, seu Filho, que ela guarda em sua casa, ou seja, que ela tem em seu poder, porquanto é a tesoureira e a dispensadora única e eterna dos méritos e virtudes de seu Filho, Jesus Cristo, que ela dá e comunica a quem bem entender, quando bem entender, como bem entender e na medida em que bem entender, conforme vimos acima (cf. n. 25 e 141).

- Ela envolve o pescoço e as mãos de seus servidores com as peles dos cabritos imolados e esfolados, isto é, adorna-os com os méritos e o valor de suas próprias ações. Ela imola e sacrifica verdadeiramente tudo o que existe de impuro e imperfeito neles. Contudo, não põe a perder nem dissipa todo o bem que a graça produz neles, mas o conserva e multiplica, para fazer dele o ornamento e a força de suas mãos e pescoços, a fim de fortalecê-los para que aguentem carregar o jugo do Senhor, que deve ser levado ao pescoço, e sejam capazes de operar grandes obras para a glória de Deus e a salvação de seus pobres irmãos.
- Ela dá um novo perfume e uma nova graça a essas vestes e ornamentos, comunicando-lhes suas próprias vestes, seus méritos e virtudes, que ela lhes confiou ao morrer, em testamento, conforme nos transmitiu uma santa religiosa do século XVII, falecida com fama de santidade, a quem essa verdade foi revelada em forma de visão. Sendo assim, todos os seus empregados, seus fiéis servidores e escravos, são duplamente recobertos com seus próprios trajes e os de seu Filho: *Omnes domestici ejus vestiti sunt duplicibus* (Pr 31,21). Desse modo, eles não precisam temer o frio de Jesus Cristo, branco como a neve, que os reprovados nus e despojados dos méritos de Jesus Cristo e da Santa Virgem não serão capazes de aguentar.

207. e) Ela finalmente os faz obter a bênção do Pai dos céus, ainda que não devessem naturalmente recebê-la, uma vez que não são seus filhos primogênitos. Com essas vestes novas, valiosas e de maravilhoso perfume, e com seus corpos e almas preparados e aptos, cheios de confiança se achegam ao leito de repouso do Pai do céu. Ele ouve e discerne suas vozes, que são as vozes de quem está cheio de pecado; toca suas mãos recobertas de peles; sente o suave perfume de suas roupas; com alegria se alimenta do que Maria, a mãe deles, preparou para ele; e, reconhecendo neles os méritos e o agradável perfume de seu Filho e de sua santa Mãe:

- Ele lhes dá sua bênção dupla: *a bênção do orvalho do céu* - *De rore coelesti* (Gn 27,28), ou seja, da graça divina que constitui a semente da glória: *Benedixit nos omni benedictione spirituali in Christo Jesu* ("Abençoou-nos com toda sorte de bênção espiritual em Cristo Jesus", Ef 1,3) - e *a bênção da matéria fértil da terra* - *De pinguedine terrae*, ou seja, o pão de cada dia e a suficiente abundância dos bens materiais que esse Pai bondoso lhes dá.
- Ele os torna mestres dos outros irmãos, os reprovados, não obstante essa primazia nem sempre seja visível neste mundo transitório e fugaz, onde com frequência os reprovados são predominantes: *Peccatores effabuntur et gloriabuntur* (Sl 93,3-4); *Vidi impium superexaltatum et elevatum* (Sl 36,35). Contudo, a referida primazia é verdadeira e se concretizará no outro mundo, por todo o sempre, quando finalmente os justos dominarão e comandarão as nações, conforme revelou o Espírito Santo: *Dominabuntur populis* (Sb 3,8).
- O Soberano Rei, não se contentando apenas em abençoar suas pessoas e seus bens, também abençoa aqueles que os abençoarem, e amaldiçoa todos aqueles que os amaldiçoarem e perseguirem.

Ela os abastece de tudo

208. A segunda obrigação de caridade que a Santa Virgem tem para com seus servidores fiéis é providenciar-lhes todo o necessário para seus corpos e suas almas. Ela lhes dá as duplas vestes, como há pouco pudemos ver; oferece-lhes as melhores iguarias da mesa do Senhor; permite-lhes nutrir-se com o Pão da vida, que ela gerou: *A generationibus meis implemini* (Eclo 24,26): "Meus queridos filhos - ela lhes diz -, sob o nome da Sabedoria, fiquem repletos da minha geração, ou seja, de Jesus, o fruto da vida, que por mim veio ao mundo para vocês"; *Venite, comedite panem meum et bibite vinum quod miscui vobis* (Pr 9,5)*; comedite, et bibite, et inebriamini, carissimi* (Ct 5,1): "Venham - ela ainda lhes diz em outra passagem - nutrir-se de meu pão, que é Jesus, e inebriar-se do vinho de seu amor, que misturei ao leite de minhas mamas". Sendo a tesoureira e a encarregada de distribuir os dons e as graças do Altíssimo, ela separa a melhor parte para a nutrição e o sustento de seus filhos e servidores, que são robustecidos com o pão vivo e inebriados com o vinho que faz germinar as virgens (cf. Zc 9,17), como também conduzidos até o peito: *Ad ubera portabimini* (Is 66,12). Assim, torna-se para eles tão fácil carregar o jugo de Jesus Cristo que não percebem o peso, em virtude do óleo da devoção que ela usa para fazê-lo apodrecer: *Jugum eorum putrescere faciet a facie olei* (Is 10,27).

Ela os conduz e dirige

209. O terceiro benefício que a Santa Virgem concede a seus fiéis servidores é conduzindo-os e dirigindo-os segundo a vontade de seu Filho. Rebeca conduzia seu pequeno Jacó e às vezes lhe oferecia bons conselhos, quer a fim de obter para ele a bênção de seu pai, quer para impedir que seu irmão Esaú o odiasse e perseguisse. Maria, que é a "estrela do mar", conduz todos os seus fiéis servidores ao porto seguro; ela lhes indica as estradas da vida eterna, os faz evitar os atalhos perigosos, os conduz pela mão nas rotas da justiça; dá-lhes bronca como mãe caridosa quando fazem algo errado; e algumas vezes, inclusive, lhes aplica um castigo de mãe amorosa. Um filho obediente a Maria, sua mãe nutriz e diretora preclara, pode perder-se nos caminhos da eternidade? *Ipsam sequens, non devias* ("Se a segues, não te desvias"), afirma São Bernardo. Não receie que um verdadeiro filho de Maria seja enganado pelo maligno e se torne presa de alguma heresia formal, pois, de fato, onde Maria atua como guia, nem o espírito do mal, com suas ilusões, nem os hereges, com suas argumentações, se aproximam: *Ipsa tenente, non corruis* ("Prendendo-te a ela, não te enganas").

Ela os defende e protege

210. O quarto serviço prestado pela Santa Virgem a seus filhos e fiéis servidores são a defesa e a proteção contra os inimigos. Agindo com cuidado e destreza, Rebeca livrou Jacó de todos os perigos aos quais se viu exposto, especialmente do risco de morte, ao qual seu irmão Esaú o expôs, em razão do ódio e da inveja que nutria por ele, como no passado Caim fizera com Abel. Maria, a mãe bondosa dos predestinados, os mantém seguros à sombra de suas asas de proteção, como a galinha faz com seus pintinhos. Ela conversa com eles, se inclina até eles, é compreensiva diante de todas as suas fraquezas; ela se coloca ao redor deles e os acompanha, como um exército de cem mil homens devidamente posicionado para a batalha: *ut castrorum acies ordinata* (Ct 6,3). Por acaso pode um homem secundado por um exército bem treinado de cem mil homens temer seus inimigos? Essa boa Mãe e poderosa Princesa dos céus, por sua vez, enviaria batalhões de milhões de anjos para socorrer a um de seus servidores, de tal modo que jamais se ouviu dizer que um único servo fiel de Maria, que se entregou a ela, tenha sucumbido à maledicência, à quantidade e ao vigor de seus inimigos.

Ela intercede por eles

211. Por fim, o quinto e maior benefício que a amável Maria concede a seus fiéis devotos é a intercessão por eles diante de seu Filho, apaziguando-o com suas orações e unindo-os a Ele através de um vínculo muito forte, que ela mesma conserva. Rebeca fez Jacó aproximar-se do leito de seu pai, para que o bom homem o tocasse, o beijasse com alegria, estando contente depois de saciar-se com as carnes bem preparadas por ela e transportadas por ele; e Jacó, rejubilando-se ao sentir os perfumes suaves de suas roupas, exclamou: *Ecce odor filii mei sicut odor agri pleni, cui benedixit Dominus* ("Eis o odor de meu filho, que é como o odor de um campo pleno, que o Senhor abençoou", Gn 27,27). Esse campo pleno, cujo perfume agradou o coração do pai, nada mais é do que o perfume das virtudes e dos méritos de Maria, que é um campo pleno de graça, onde Deus Pai semeou, como primeiro grão de trigo dos eleitos, seu Filho unigênito.

Oh! Quão bem-vindo diante de Jesus – que é o Pai do mundo que há de vir! – é o filho perfumado com o cheiro agradabilíssimo de Maria! Oh! Quão perfeita e prontamente unido a ele! Um pouco acima (n. 152-168) pudemos mostrá-lo.

212. Além do mais, depois de enriquecer seus filhos e seus fiéis servidores com seus benefícios, e de lhes alcançar a bênção do Pai do céu e a união com Jesus Cristo, ela os mantém em Jesus Cristo, e Jesus Cristo neles. Ela os protege e vela por eles noite e dia, para não serem destituídos da graça de Deus, nem caírem nos laços que seus inimigos lhes armarem: *In plenitudine sanctos detinet* ("Ela segura os santos em sua plenitude"), fazendo-os perseverar até o fim, conforme vimos (n. 173-182).

Assim concluímos a explanação dessa grande e antiga figura da predestinação e da reprovação, tão pouco conhecida e tão misteriosa.

CAPÍTULO VII

Os efeitos maravilhosos produzidos por esta devoção numa alma que a segue fielmente

213. Meu querido irmão, esteja convencido de que, se você se tornar fiel às práticas interiores que lhe mostrarei a seguir, receberá os frutos que ela produz no coração fiel.

Artigo primeiro: Conhecimento e desprezo de si

1) Através da luz que você receberá do Espírito Santo por meio de Maria, sua amada Esposa, você conhecerá sua inclinação para o mal, sua corrupção e incapacidade de fazer qualquer bem, quando Deus não é tido como o princípio - enquanto o autor - da natureza e da graça; em decorrência desse conhecimento, você se desprezará a si mesmo, assim como não pensará em você senão com terror. Você se olhará como um molusco que tudo queima com sua baba, ou como um sapo que em tudo instila seu veneno, ou como uma cascavel ardilosa que não procura senão atraiçoar. Finalmente, a humilde Maria o fará participar de sua genuína humildade, que o levará a fazer pouco caso de si mesmo, porém sem desprezar quem quer que seja, e a apreciar ser objeto de desprezo.

Artigo segundo: Participação na fé de Maria

214. 2) A Santa Virgem o fará tomar parte em sua fé, que na terra foi maior do que a fé de todos os patriarcas, os profetas, os apóstolos e todos os santos. No presente momento, uma vez que já reina no céu, ela não precisa mais dessa fé, na medida em que vê com clareza, em Deus, todas as coisas, pela luz da glória. Entretanto, com a anuência do Altíssimo, ela não perdeu essa fé ao entrar na glória, mas a conservou, para mantê-la intacta na Igreja militante, em favor de seus servos e servas fiéis. Portanto, quanto mais você obtiver a benevolência dessa augusta Princesa e Virgem fiel, mais pura será sua fé em todas as suas atitudes: uma fé pura o bastante para fazê-lo importar-se muito pouco com o que é sensível e extraordinário; uma fé vivificada e abastecida pela caridade, que fará todas as suas ações terem como única motivação o puro amor; uma fé sólida e inabalável como rocha, que lhe permitirá ficar firme e inalterável nos momentos de temporais e ventanias; uma fé proativa e aguçada, que, como uma misteriosa moldura, lhe possibilitará entrar nos mistérios de Jesus Cristo, nos fins últimos do homem e no coração do próprio Deus; uma fé corajosa, pela qual você será capaz de operar maravilhas para Deus e a santificação das almas, sem hesitar; enfim, uma fé que será o seu candelabro aceso, o seu viver em Deus, seu tesouro escondido da divina Sabedoria, e a arma poderosa que você empunhará para reconduzir aqueles que estão nas trevas e na sombra da morte, para abrasar os mornos e necessitados do ouro reluzente da caridade, para vivificar os que morreram pelo pecado, para tocar e quebrantar, mediante palavras suaves e penetrantes, os corações de granito e os cedros do Líbano, e, finalmente, para não ceder ao diabo e a todos os que odeiam a salvação.

Artigo terceiro: Graça do puro amor

215. 3) Essa Mãe do belo amor tirará do seu coração todo escrúpulo e todo receio servil desequilibrado, abrindo-o e expandindo-o para cumprir os mandamentos de seu Filho, com a santa liberdade dos filhos de Deus, e para inserir nele o puro amor, do qual ela é a guardiã. Assim, você não será mais guiado, como antes havia sido, pelo medo em relação ao Deus de caridade, e sim pelo puro amor. Você o considerará como seu Pai bondoso, e se esforçará para agradá-lo sem cessar, com Ele conversará cheio de confiança, como a criança com seu pai amoroso. Se por alguma infelicidade você vier a ofendê-lo, mas imediatamente se humilhar diante dele, pedindo-lhe perdão com humildade, poderá estender-lhe a mão simplesmente e reerguer-se amorosamente, sem pavor nem ansiedade, e continuará a dirigir-se até Ele sem desanimar.

Artigo quarto: Grande confiança em Deus e em Maria

216. 4) A Santa Virgem o cumulará de imensa confiança em Deus e nela:

a) porque você não mais se achegará a Jesus Cristo por si mesmo, mas sempre por essa boa Mãe;
b) porque você lhe ofertou todos os seus méritos, graças e satisfações, para que ela faça de tudo isso o que bem entender, de modo que ela transmitirá a você suas virtudes e o revestirá com seus méritos, razão pela qual você poderá dizer a Deus com confiança: "Eis Maria, vossa serva: que me seja feito segundo vossa palavra" (*Ecce ancilla Domini, fiat mihi secundum verbum tuum*, Lc 1,38).
c) porque você se deu totalmente a ela, com seu corpo e sua alma, e ela, que é generosa com os generosos e mais generosa que os próprios generosos, se dará a você de maneira maravilhosa e verdadeira, de modo que você poderá ousar dizer: *Tuus sum ego, salvum me fac* ("Teu eu sou, Santa Virgem, salva-me", Sl 118,94); ou com o Discípulo amado: *Accepi te in mea* ("Fiz de ti, santa Mãe, toda a minha riqueza").

Você também poderá dizer, com São Boaventura: *Ecce Domina salvatrix mea, fiducialiter agam, et non timebo, quia fortitudo mea, et laus mea in Domino es tu* [...]; *Tuus totus ego sum, et omnia mea tua sunt, o Virgo gloriosa, super omnia benedicta; ponam te ut signaculum super cor meum, quia fortis est ut mors dilectio tua* ("Minha cara Mestra e salvadora, com confiança hei de agir, sem nada temer, pois tu és minha força e meu louvor no Senhor [...]. Sou todo teu, e tudo o que possuo pertence a ti; ó gloriosa Virgem, bendita acima de todas as criaturas, possa eu colocar-te como um selo sobre o meu coração, pois teu amor é como a morte").[1]

Poderá ainda dirigir-se a Deus, com os mesmos sentimentos do Profeta: *Domine, non est exaltatum cor meum, neque elati sunt oculi mei; neque ambulavi in magnis, neque in mirabilibus super me; si non humiliter sentiebam, sed exaltavi animam; sicut ablactatus super matre sua, ita retributio in anima mea* ("Senhor, nem meu coração nem meus olhos têm, por qualquer razão, de encher-se de soberba e arrogância, nem de aspirar a grandezas e coisas maravilhosas; apesar disso, ainda não me tornei humilde, mas despertei e estimulei minha alma por meio da confiança; sou como uma criança ainda não afeiçoada aos prazeres da terra e recostada ao seio de minha mãe, e é esse seio que me enche de bens", cf. Sl 130,1-2).

d) O que fará crescer mais ainda sua confiança nela é que, tendo-lhe dado em custódia todas as coisas boas que você possui, para que as conserve ou distribua a outros, você terá menos confiança em si mesmo e muito mais confiança nela, que passou a ser o seu tesouro. Oh! Que confiança, que consolo para uma alma poder considerar o tesouro de Deus, onde Ele colocou tudo o que possui de mais precioso, também o seu tesouro! *Ipsa est thesaurus Domini* ("Ela é o tesouro do Senhor"), como disse um santo.

[1] São Boaventura, *In psal. min. B.V.*

Artigo quinto: Comunicação da alma e do espírito de Maria

217. 5) A alma da Virgem Maria lhe será transmitida, para que você glorifique o Senhor; seu espírito entrará no lugar do seu, para você poder se alegrar em Deus. Porém, é necessário que você se torne fiel às práticas desta devoção. *Sit in singulis anima Mariae ut magnificet Dominum; sit in singulis spiritus Mariae ut exultet in Deo* ("Que a alma de Maria esteja em cada um, para em cada um glorificar o Senhor; que o espírito de Maria esteja em cada um, para em cada um exultar em Deus").[2] Ah! Quando chegará esse momento tão esperado, em que a divina Maria se estabelecerá nos corações como mestra e soberana, para sujeitá-los plenamente ao império de seu grande e único Jesus? Quando, enfim, as almas estarão aptas a respirar Maria do mesmo modo que os corpos respiram o ar? A partir daí, coisas extraordinárias ocorrerão neste plano inferior, onde o Espírito Santo, ao encontrar sua amada Esposa difundida nas almas, nelas se manifestará copiosamente e as preencherá com seus dons, sobretudo o dom da sabedoria, para realizar maravilhas de graças. Meu querido irmão, quando virá esse tempo feliz e esse século de Maria, no qual incontáveis almas eleitas e conquistadas para o Altíssimo por Maria se perderão em si mesmas no abismo de seu interior e se tornarão reproduções vivas de Maria, para amar e glorificar Jesus Cristo? Esse tempo só há de vir quando esta devoção que lhes proponho se tornar conhecida e for praticada: *Ut adveniat regnum tuum, adveniat regnum Mariae* ("Senhor, para que venha o teu Reino, que venha o reino de Maria").

[2] Santo Ambrósio, *Comentário a Lucas*.

Artigo sexto: Transformação das almas em Maria à imagem de Jesus Cristo

218. 6) Se a árvore da vida que é Maria tiver bom cultivo em sua alma, mediante a fidelidade às práticas desta devoção, você colherá de seu fruto a seu tempo, e esse fruto é simplesmente Jesus Cristo. Conheço tantos devotos e devotas que procuram Jesus Cristo por caminhos e práticas diferentes; e, com frequência, depois de terem pelejado bastante durante a noite, podem exclamar: *Per totam noctem laborantes, nihil cepimus* ("Apesar de termos trabalhado durante toda a noite, não conseguimos pegar nada", Lc 5,5). Com efeito, a eles se pode dizer: *Laborastis multum, et intulistis parum* ("Vocês trabalharam muito e ganharam pouco", cf. Ag 1,6). Jesus Cristo ainda está presente de modo tênue em vocês. No entanto, pela via imaculada de Maria e esta prática divina que proponho, trabalha-se em lugar santo, e trabalha-se pouco. Não existe noite em Maria, porquanto nela jamais houve qualquer vestígio de pecado, nem a menor sombra. Maria é um local sagrado, o Santo dos Santos, onde os santos são formados e moldados.

219. Observe, por favor, minha afirmação de que os santos são modelados em Maria. Existe enorme diferença entre esculpir uma figuração humana em relevo, com golpes de martelo e cinzel, e fazer uma figura com o auxílio de um molde: os escultores e estatuários trabalham muito para confeccionar suas obras de arte do primeiro modo, e para isso despendem muito tempo; mas para fazê-las do segundo modo, não precisam de grande esforço e em bem pouco tempo as concluem. Santo Agostinho chama a Santa Virgem de *forma Dei* (o molde de Deus): *Si formam Dei te appellem, digna existis* ("Sois digna de te chamarem o molde de Deus") – o molde adequado para formar e moldar deuses. Não demorará muito para aquele que for jogado nesse molde divino ser formado em Jesus Cristo, e Jesus Cristo nele: em pouco tempo e sem muito gasto, ele se tornará um deus, pois foi jogado no mesmo molde que formou Deus Filho.

220. Penso que posso perfeitamente comparar os diretores espirituais e fiéis que querem formar Jesus Cristo em si mesmos ou nos outros pelo seguimento de outras práticas que não esta a escultores que, confiando na própria habilidade, destreza e arte, dão incontáveis golpes de martelo e cinzel numa pedra dura, ou num tronco de madeira mal polida para deles tirar a imagem de Jesus Cristo; e por vezes eles não conseguem representar Jesus Cristo com realismo, seja por falta de conhecimento e experiência da pessoa de Jesus, seja em razão de algum golpe mal dado, que acabou estragando a obra. Todavia, em relação àqueles que abraçam este segredo da graça que lhes apresento, comparo-os acertadamente a fundidores e moldadores que encontraram o formoso molde de Maria, no qual Jesus Cristo foi natural e divinamente formado, e, sem confiar na própria habilidade, mas unicamente na perfeição do molde, se derramam e se perdem em Maria, para tornar-se o retrato realista de Jesus Cristo.

221. Que bela e verdadeira comparação essa! Mas quem a entenderá? Faço votos de que seja você, meu amado irmão. Mas não se esqueça de que só se pode despejar no molde o que foi derretido e se encontra em estado líquido, ou seja, é absolutamente necessário destruir e fundir em você o velho Adão, para então você poder se tornar o novo Adão em Maria.

Artigo sétimo: A maior glória de Jesus Cristo

222. 7) Observando fielmente esta devoção, você dará mais glória a Jesus Cristo em um mês do que em vários anos praticando alguma outra, mesmo que mais difícil. Estas são as razões daquilo que estou afirmando:

1ª) Pelo fato de as suas ações serem realizadas pela Santa Virgem, conforme esta prática preconiza, você deixa para trás suas próprias intenções e operações, não obstante boas e conhecidas, para perder-se, por assim dizer, nas intenções e operações da Santíssima Virgem, apesar de estas lhe serem desconhecidas. Por consequência, você entra na participação da sublimidade de suas intenções, que foram tão puras a ponto de uma de suas menores ações dar mais glória a Deus do que um martírio como o de São Lourenço, cruelmente supliciado numa grelha, ou mesmo do que as ações mais heroicas de todos os santos. Nesse sentido, durante sua permanência na terra, ela obteve uma infinidade tão inefável de graças e méritos que se poderia mais facilmente enumerar as estrelas do firmamento, as gotas de água do mar e os grãos de areia das praias do que fazer uma recensão completa de todos eles. Além disso, ela deu mais glória a Deus do que todos os anjos e santos deram ou darão. Ó grandeza de Maria! Tu podes apenas fazer prodígios de graças nas almas que não querem senão perder-se em ti!

223. 2ª) Pelo fato de que, por meio desta prática, uma alma que considere como nada tudo o que pensa e faz por si mesma, e que coloque seu apoio e agrado unicamente nas disposições de Maria, para aproximar-se de Jesus Cristo, e mesmo para dirigir-lhe a palavra, pratica muito mais humildade do que as almas que agem por si mesmas, e que se apoiam e se agradam imperceptivelmente em suas próprias disposições. Por conseguinte, ela glorifica de modo mais elevado a Deus, que não é perfeitamente glorificado senão pelos humildes e pequeninos de coração.

224. 3ª) Pelo fato de que a Santa Virgem, desejando, por uma grande caridade, receber em suas mãos virginais o presente de nossas ações, lhes dá formosura e esplendor admiráveis; de fato, ela mesma as oferece a Jesus Cristo e, por consequência, Nosso Senhor é mais glorificado desse modo do que se as oferecêssemos a Ele com nossas mãos impuras.

225. 4ª) Finalmente, porquanto você jamais pensa em Maria sem que ela, em seu lugar, pense em Deus; de igual maneira, você jamais louva e honra Maria sem que ela, com você, louve e honre a Deus. Maria está em completa relação com Deus, e eu a designaria perfeitamente como a relação de Deus, que se refere unicamente a Deus, ou o eco de Deus, que apenas profere e pronuncia Deus. Se você verbaliza Maria, ela verbaliza Deus. Santa Isabel louvou Maria e a chamou de bem-aventurada, em virtude de ter acreditado; Maria, o eco fiel de Deus, cantou: *Magnificat anima mea Dominum* ("Minha alma glorifica o Senhor", Lc 1,46). Aquilo que Maria cumpriu naquele momento, ela continua a cumprir todos os dias; ao amar, louvar, honrar e ofertar de nosso melhor a ela, Deus é louvado, Deus é amado, Deus é honrado, e a Deus estamos ofertando de nosso melhor, por Maria e em Maria.

CAPÍTULO VIII
Práticas particulares desta devoção

Artigo primeiro: Práticas exteriores

226. Embora o essencial desta devoção se situe no interior, ela não deixa de ter várias práticas exteriores que não podemos descuidar: *Haec oportuit facere et illa non omittere* (Mt 23,23), seja porque as práticas exteriores bem realizadas auxiliam as interiores, seja porque ajudam o homem, que sempre é guiado pelos sentidos, a se lembrar do que ele fez ou deve fazer; seja ainda pelo fato de colaborarem com a edificação do próximo que as vê, o que não ocorre com aquelas de caráter puramente interior. Sendo assim, que nenhum mundano venha a criticar, nem meter o bedelho aqui para dizer que a verdadeira devoção se encontra no coração, ou que devemos evitar o que é exterior, onde pode haver vaidade, que devemos dissimular nossa devoção etc. A eles respondo com meu Mestre: "Que os homens vejam vossas boas obras, para que glorifiquem vosso Pai que está nos céus" (Mt 5,16), o que não significa que tenhamos de levar a cabo nossas ações e devoções exteriores com o intuito de agradar aos homens e deles esperar qualquer louvor, como afirma São Gregório Magno – e isso então constituiria uma vaidade –, mas por vezes as realizamos diante dos homens com o objetivo de agradar a Deus e, por conseguinte, inspirar outros a glorificá-lo, sem nos preocupar com os desprezos ou louvores dos homens.

Farei agora apenas um resumo de algumas práticas exteriores, que não designo como exteriores porque sejam realizadas sem disposição interior, mas porque possuem algo de exterior, para diferenciá-las das que são puramente interiores.

1ª) Consagração depois de exercícios preparatórios

227. *Primeira prática.* Aqueles e aquelas que tiverem o desejo de aderir a esta devoção particular, que não está ligada a uma confraria, embora fosse de se esperar, depois de terem, conforme afirmei na primeira parte desta preparação ao Reino de Cristo, dedicado no mínimo doze dias a esvaziar-se do espírito do mundo, que se opõe ao espírito de Cristo, empregarão três semanas para ficar repletos de Jesus Cristo através da Santíssima Virgem.[1] Esta é a ordem que poderão seguir:

228. Ao longo da primeira semana, dedicarão todas as suas orações e ações de piedade para suplicar pelo conhecimento de si mesmos e pela contrição de seus pecados: e farão tudo com espírito de humildade. Para tanto, poderão, caso queiram, meditar sobre o que afirmei em relação a nosso fundamento de maldade e considerar-se como lesmas, sapos, porcos, bodes e cobras; ou então esta frase de São Bernardo: *Cogita quid fueris, semen putridum; quid sis, vas stercorum; quid futurus sis, esca vermium* ("Pensa no que foste: semente estragada; no que és: vaso de esterco; no que serás: criadouro de vermes"). Com estas palavras clamarão a Nosso Senhor e ao Espírito Santo para iluminá-los: *Domine, ut videam* ("Senhor, que eu veja"), ou *Noverim me* ("Que eu me conheça"), ou *Veni, Sancte Spiritus* ("Vinde, Espírito Santo"), recitarão todos os dias a ladainha do Espírito Santo[2] e a oração que a segue, e recorrerão à Santíssima, pedindo-lhe essa grande graça que há de ser o fundamento das outras, e para isso recitarão todos os dias o *Ave, Maris Stella* e suas ladainhas.

---

[1] Ver Apêndice de orações preparatórias no final.
[2] Ver Apêndice.

229. Ao longo da segunda semana, eles se empenharão em todas as suas orações e obras de cada dia, bem como em conhecer a Santíssima Virgem, conhecimento esse que suplicarão ao Espírito Santo. Terão a possibilidade de ler e meditar o que afirmamos acerca disso. Recitarão, como na primeira semana, a ladainha do Espírito Santo e o *Ave, Maris Stella,* e, além disso, um rosário todos os dias, ou pelo menos um terço, nessa intenção.

230. Eles dedicarão a terceira semana ao conhecimento de Jesus Cristo, podendo ler e meditar o que dissemos a respeito, e rezar a oração de Santo Agostinho, que se encontra no número 67. Com o mesmo santo, poderão dizer e repetir incontáveis vezes por dia: *Noverim te* ("Senhor, que eu vos conheça"), ou então: *Domine, ut videam* ("Senhor, que eu veja quem sois")! Como nas semanas anteriores, rezarão a ladainha do Espírito Santo e o *Ave, Maris Stella*, e acrescentarão todos os dias a ladainha do Santíssimo Nome de Jesus.

231. Ao final dessas três semanas, deverão confessar-se e comungar na intenção de entregar-se a Jesus Cristo, na qualidade de escravos de amor, pelas mãos de Maria. E depois da comunhão, que tratarão de realizar segundo o método aqui proposto (ver, abaixo, n. 266), declamarão a fórmula de consagração, que também se encontra abaixo (n. 272). Eles deverão escrevê-la ou pedir que outros a escrevam, caso não tenha sido impressa, e assiná-la no mesmo dia em que a proferirem.

232. Será aconselhável que, nesse dia, eles ofereçam algum tributo a Jesus Cristo e a sua santa Mãe, quer como penitência por terem sido infiéis aos votos do batismo, quer para manifestar quão dependentes são do domínio de Jesus e de Maria. Ora, esse tributo deverá ser de acordo com a devoção e a capacidade de cada um: seja jejuando, seja fazendo algum sacrifício de mortificação, seja dando uma esmola, acendendo uma vela. Mesmo que não deem mais do que um alfinete, porém de coração, já será o bastante para homenagear Jesus, que só leva em consideração a boa vontade.

233. Cada ano, no mesmo dia e mês, deverão renovar a mesma consagração, cumprindo as mesmas práticas durante três semanas. Poderão, inclusive, todo mês e todo dia, renovar tudo o que realizaram, por meio destas simples palavras: *Totus tuus ego sum, et omnia mea tua sunt* ("Todo teu eu sou, e tudo o que possuo pertence a ti, ó amável Jesus, por Maria, tua santa Mãe").

2ª) Recitação da pequena coroa da Santa Virgem

234. *Segunda prática.* Cada dia de suas vidas, haverão de recitar, sem nenhuma dificuldade, a pequena coroa da Santíssima Virgem, que compreende três pai-nossos e doze ave-marias, para honrar os doze privilégios e qualidades da Santíssima Virgem. Essa prática é antiquíssima e se baseia na Sagrada Escritura. São João teve a visão de uma mulher coroada com doze estrelas, tendo a lua sob os pés; essa mulher foi interpretada por muitos comentadores como a Santíssima Virgem.

235. Existem inúmeras maneiras de recitá-la adequadamente e precisaríamos de muito tempo para referi-las; sendo assim, o Espírito Santo as ensinará a todos e a todas os que forem mais fiéis a esta devoção. No entanto, para rezá-la pura e simplesmente, deve-se, antes de tudo, proclamar: *Dignare me laudare te, Virgo sacrata; da mihi virtutem contra hostes tuos* ("Torna-me digno de te louvar, Virgem sagrada; dá-me bravura contra os teus inimigos"), em seguida se proclamará o *Credo*, depois pai-nosso, quatro ave-marias e um Glória ao Pai. No final se dirá: *Sub tuum praesidium.*

3ª) Uso de pequenas correntes de ferro

236. *Terceira prática.* É digno de louvor e glória, além de ser muito útil a todos e a todas os que se fizerem escravos de Jesus em Maria, carregar pequenas correntes de ferro bentas conforme uma bênção própria. Essas marcas exteriores, na verdade, não são essenciais, e pode-se perfeitamente prescindir delas, ainda que se tenha assumido esta devoção. Contudo, não posso deixar de louvar muito aqueles e aquelas que, depois de lançarem fora as correntes odiosas da escravidão do diabo, com as quais o pecado original e possivelmente os pecados atuais os tinham amarrado, de livre e espontânea vontade se submeteram à gloriosa escravidão de Jesus, e se gloriam, junto com São Paulo, por estar acorrentados por Jesus Cristo, em correntes de mil vezes maior glória e valor, não obstante de ferro e sem fulgor, do que todos os colares de ouro dos imperadores.

237. Embora antigamente não houvesse nada mais ignominioso do que cruz, no presente momento, esse objeto se tornou o símbolo mais glorioso do cristianismo. A mesma coisa pode ser dita acerca dos ferros da escravidão: para os antigos – e mesmo para os pagãos de hoje –, não havia nada de mais vergonhoso do que eles. No entanto, para os cristãos, não existe nada de mais ilustre do que as cadeias de Jesus Cristo, na medida em que nos livram e nos preservam dos laços infames do pecado e do demônio, como também nos libertam e nos ligam a Jesus Cristo e a Maria, não por constrangimento, nem à força, como se fôssemos prisioneiros, mas pela caridade e pelo amor, como filhos: *Traham eos in vinculis caritatis* ("Eu os atrairei a mim", Os 11,4) – Deus disse por lábios de um profeta – por correntes de caridade, que, de fato, são fortes como a morte e, de certo modo, mais fortes naqueles que forem fiéis em carregar estas marcas gloriosas até a morte. Com efeito, ainda que a morte destrua seus corpos e os reduza a carniça, ela não destruirá os laços de sua escravidão, que, sendo de ferro, não se desintegram facilmente. E talvez no dia da ressurreição dos corpos, no grande juízo final, essas correntes, que ainda estarão presas a seus ossos, farão parte de sua glória, sendo transformadas em correntes de glória e de luz. Bem-aventurados, portanto, mil vezes bem-aventurados serão os ilustres escravos de Jesus e Maria que levarem suas correntes até a sepultura!

238. Estas são as razões de se usarem essas pequenas correntes:

1ª) Porque fazem o cristão se lembrar dos votos e compromissos de seu batismo, bem como da renovação perfeita dos mesmos votos e promessas que esta devoção lhe permitiu fazer, além da estreita obrigação que ele então passou a ter de ser-lhes fiel. Muitas vezes conduzindo-se mais pelos sentidos do que pela pura fé, o homem facilmente se esquece de suas obrigações em relação a Deus, a menos que haja algo exterior que as reintroduza em sua memória, como essas pequenas correntes, cuja utilidade maravilhosa é relembrar ao cristão as amarras do pecado e da escravidão demoníaca, das quais o santo batismo o libertou, como também a dependência de Jesus Cristo, que ele contraiu ao ser batizado, e a ratificação dessa dependência que ele fez mediante a renovação dos votos assumidos. E uma das razões pelas quais tão poucos cristãos pensam nos votos de seu santo batismo, vivendo com tamanha libertinagem, como se nada tivessem prometido a Deus, como os pagãos, é o fato de não carregarem nenhum sinal exterior que os faça rememorar esses votos.

239. 2ª) Para mostrar que não nos envergonhamos da escravidão e servidão a Jesus Cristo, mas renunciamos à escravidão tenebrosa do mundo, do pecado e do inimigo.

3ª) Para termos garantia contra as cadeias da iniquidade e sermos preservados delas. Pois devemos ser portadores ou das correntes de iniquidade, ou das correntes de caridade e salvação: *Vincula peccatorum; in vinculis charitatis.*

240. Ah, prezado irmão, rompamos as correntes dos pecados e dos pecadores, do mundo e dos que pertencem ao mundo, do diabo e de seus seguidores, e atiremos para longe de nós seu jugo deplorável: *Dirumpamus vincula eorum et projiciamus a nobis jugum ipsorum* (Sl 2,3). Vinculemos nossos pés, para empregar as palavras do Espírito Santo, a seus ferros gloriosos, e em nossos pescoços coloquemos seus colares: *Injice pedem tuum in compedes illius, et in torques illius collum tuum* (Eclo 6,25). Inclinemos nossos ombros para carregar a Sabedoria, que é Jesus Cristo, e não repulsemos suas correntes: *Subjice humerum tuum et porta illam, et ne acedieris vinculis ejus* (Eclo 6,26). Você perceberá que, antes de dizer as seguintes palavras, o Espírito Santo prepara a alma, a fim de que não rejeite seu conselho especial: *Audi, fili, et accipe consilium intellectus, et ne abjicias consilium meum* ("Escuta, meu filho, e recebe um conselho de entendimento, e não rejeites meu conselho", Eclo 6,24).

241. Queira, meu estimado amigo, que eu me una ao Espírito Santo para lhe dar o mesmo conselho: *Vincula illius aligatura salutis* ("Suas correntes são correntes de salvação", Eclo 6,31). Como Jesus Cristo na cruz deve atrair tudo a si, de boa ou má vontade, Ele atrairá os reprovados pelas correntes de seus pecados, para acorrentá-los como prisioneiros e demônios a sua ira eterna e a sua justiça vindicadora; mas os predestinados, por sua vez, Ele os atrairá nesses últimos tempos particularmente por correntes de caridade: *Omnia traham ad meipsum* (Jo 12,32). *Traham eos in vinculis charitatis* (Os 11,4).

242. Esses escravos de amor a Jesus Cristo, ou acorrentados a Jesus Cristo (*vincti Christi*, Ef 3,1), podem portar suas correntes ou no pescoço, ou nos braços, ou em torno dos rins, ou nos pés. O padre Vicente Caraffa, sétimo superior geral dos jesuítas, que morreu em odor de santidade em 1643, trazia consigo, como prova de sua servidão, um círculo de ferro nos pés, e dizia que o que mais lhe doía era não poder arrastar publicamente a corrente. A madre Inês de Jesus, da qual falamos acima (n. 170), usava uma corrente de ferro ao redor dos rins. Outras pessoas a trouxeram ao pescoço, como penitência pelos colares de pérolas que usaram quando eram do mundo. Outras a prenderam ao braço, para não se esquecer, durante o trabalho, de que são escravas de Jesus Cristo.

4ª) Devoção especial ao mistério da Encarnação

243. *Quarta prática.* Manifestarão uma devoção singular pelo extraordinário mistério da Encarnação do Verbo no dia 25 de março, que é próprio mistério desta devoção, porquanto foi o próprio Espírito Santo quem inspirou esta devoção:

1º) para que se possa honrar e imitar o exemplo inefável do Deus Filho, que quis depender de Maria, para a glória de Deus, seu Pai, e para nossa salvação, dependência essa que se manifesta especialmente no mistério de Jesus que se faz prisioneiro e escravo no ventre da divina Maria, e depende dela para o que quer que seja.

2º) a fim de que se glorifique a Deus pelas graças inigualáveis concedidas a Maria, sobretudo por tê-la escolhido como sua digníssima Mãe, escolha que se concretizou nesse mistério. Tais são as duas principais finalidades da escravidão de Jesus em Maria.

244. Observe, por gentileza, que digo, reiteradas vezes, "o escravo de Jesus em Maria, a escravidão de Jesus em Maria". De fato, como inúmeros devotos fizeram até agora, é possível dizer "o escravo de Maria, a escravidão da Santa Virgem". Entretanto, considero mais adequado dizer "a escravidão de Jesus em Maria", conforme sugeriu o senhor Tronson, superior geral do seminário de São Sulpício, célebre por sua prudência ímpar e piedade inflamada, a um clérigo que o questionou sobre o assunto. Os motivos de tal sugestão são os seguintes:

245. 1°) Como nos encontramos num período de arrogância, no qual são numerosos os sábios pedantes, os de caráter forte e críticos, que sempre têm o que contestar em relação às práticas de piedade mais difundidas e fundamentadas, é mais adequado, para não lhes darmos ocasião de nos criticar desnecessariamente, dizer "escravidão de Jesus Cristo em Maria" e designar-nos como "escravo de Jesus", em vez de "escravo de Maria", de modo que a denominação desta devoção se baseia muito mais em seu fim último, que é Jesus Cristo, do que no caminho e no meio para alcançar esse fim, que é Maria, embora se possa, na verdade, pegar um e outro caminho, sem escrúpulo, como eu faço. Assim, por exemplo, um homem que vai de Orleans a Tours pelo caminho de Amboise pode perfeitamente dizer que vai a Amboise e a Tours, e que é viajante de Amboise e viajante de Tours, com a única diferença, entretanto, de que Amboise não é seu caminho direto para ir a Tours, e que somente Tours é seu fim último e a destinação de sua viagem.

246. 2°) Sendo o mistério da Encarnação o principal mistério que celebramos e honramos por meio desta devoção, e nele não podemos senão ver Jesus Cristo em Maria, encarnado em seu seio, é mais adequado dizer "escravidão de Jesus em Maria, de Jesus residente e reinante em Maria, de acordo com esta linda oração de tantos homens ilustres: *Ó Jesus, vivo em Maria, vinde e vivei em nós, em vosso espírito de santidade*!

247. 3°) Essa maneira de falar manifesta ainda mais a união íntima que existe entre Jesus e Maria, que estão unidos tão profundamente que um está todo no outro: Jesus está todo em Maria, e Maria, toda em Jesus, ou ainda: ela já não é mais, mas só Jesus nela; e seria mais fácil separar a luz do Sol do que Maria de Jesus. Desse modo, podemos nomear Nosso Senhor como Jesus de Maria, e a Santa Virgem, como Maria de Jesus.

248. Não sendo possível delongar-me aqui para descrever as excelências de Maria e as grandezas do mistério de Jesus que vive e reina em Maria, ou da Encarnação do Verbo, para mim já será suficiente dizer, em três palavras, que esse é o primeiro mistério de Jesus Cristo, o mais escondido, o mais eminente e o mais desconhecido; que foi nesse mistério que Jesus, em sintonia com Maria, em seu seio, o qual os santos justamente chamaram de *aula sacramentorum* (a sala dos segredos de Deus), escolheu todos os eleitos; que foi nesse mistério que Ele realizou todos os outros mistérios de sua vida, pela aceitação que fez do primeiro: *Jesus ingrediens mundum dicit: Ecce venio ut faciam, voluntatem tuam* ("Ao entrar no mundo, Cristo disse: 'Aqui estou, vim para cumprir, ó Deus, a tua vontade

", Hb 10,5.9) – consequentemente, esse mistério é uma síntese de todos os outros mistérios, compreendendo a vontade e a graça de todos –; por fim, que esse mistério é o trono da misericórdia, da generosidade e da glória de Deus.

O trono de sua misericórdia para nós, pelo fato de que, só sendo possível aproximar-nos de Jesus por Maria, somente pela mediação de Maria é possível ver Jesus e falar com ele. Jesus, que sempre escuta sua amada Mãe, por meio dela prodigaliza aos pobres pecadores sua misericórdia e sua graça: *Adeamus ergo cum fiducia ad thronum gratiae* ("Portanto, compareçamos confiantes diante do tribunal da graça, para obtermos misericórdia e alcançarmos a graça de um auxílio oportuno", Hb 4,16).

O trono de sua generosidade por Maria, já que, tendo esse novo Adão habitado nesse verdadeiro paraíso terreno, Ele aí operou tantas maravilhas de modo oculto que nem os anjos, nem os homens podem compreendê-las; por isso os santos aclamam Maria como a magnificência de Deus (*Magnificentia Dei*), como se Deus não fosse magnificente senão em Maria: *Solummodo ibi magnificus [est] Dominus* ("É aí que o Senhor será poderoso para nós", Is 33,21).

O trono da glória do Pai, porque, de modo perfeito e eficaz, em Maria Jesus apaziguou seu Pai, irado contra os homens; restaurou efetivamente a glória que o pecado lhe havia arranhado e, mediante o sacrifício que fez de sua vontade e de si mesmo, lhe deu mais glória do que jamais lhe dariam todos os sacrifícios da antiga lei; e, por fim, deu-lhe uma glória infinita, que Ele jamais recebera de homem algum.

5ª) Grande devoção à ave-maria e ao terço

249. *Quinta prática.* Com grande devoção recitarão a ave-maria (ou Saudação do Anjo), cuja importância poucos cristãos conhecem, mesmo os mais esclarecidos, no que diz respeito ao valor, ao mérito, à excelência e à necessidade dela. A Santa Virgem precisou aparecer inúmeras vezes a grandes santos, de vasta erudição, para lhes indicar o mérito dessa oração, como a São Domingos, São João Capistrano, o bem-aventurado Alain de la Roche. Esses grandes homens dedicaram livros inteiros às maravilhas e eficácia dessa oração para converter os pecadores. Eles anunciaram e pregaram alto e bom som que a salvação do mundo teve início com a ave-maria, de modo que a salvação de cada um em particular está vinculada a essa oração. Também proclamaram que essa oração trouxe o fruto da vida à terra seca e estéril, e, quando bem recitada, tem a virtude de fazer brotar em nossas almas a Palavra de Deus, produzindo o fruto da vida, que é Jesus Cristo. Eles definiram a ave-maria como um orvalho celeste que irriga a terra, isto é, a alma, para fazê-la dar seu fruto no tempo certo, e afirmaram que uma alma que não é irrigada por essa oração ou orvalho celeste não produz nenhum fruto, a não ser espinhos e ervas daninhas, estando perto de ser maldita (cf. Hb 6,8).

250. Eis que a Santíssima Virgem revelou ao bem-aventurado Alain de la Roche, como consta em seu livro *De dignitate Rosarii* (*Sobre a dignidade do Rosário*): "Saiba, meu filho, e difunda-o a todos, que um sinal provável e próximo da condenação eterna é ter aversão, indiferença e negligência em recitar a Saudação do anjo, que serviu de reparação para o mundo inteiro".[3] Essas são palavras que trazem consolo, apesar de também serem terríveis, e teríamos dificuldade em dar-lhes crédito se não tivessem em seu favor o testemunho desse santo homem e de São Domingos, como também de outros grandes personagens

[3] *Scias enim et secure intelligas et inde late omnibus patefacias, quod videlicet signum probabile est et propinquum aeternae damnationis horrere et attediari ac negligere Salutationem angelicam, totius mundi reparativam* (*De dignit.*, cap. II).

que vieram depois deles, com a experiência de vários séculos. Pois sempre se observou que todos os que carregam a marca da condenação, como todos os hereges e os ímpios, orgulhosos e mundanos, odeiam e desprezam o terço e a ave-maria. Os hereges até aprendem a rezar o pai-nosso, e o fazem, mas em hipótese alguma a ave-maria e o terço, que lhes causam horror: prefeririam carregar uma cascavel a trazer consigo o terço. Também os orgulhosos, ainda que católicos, partilhando das mesmas inclinações de seu pai Lúcifer, menosprezam ou dão prova de indiferença pela ave-maria, definindo o terço como uma devoção de mulherzinha, que só interessa aos ignorantes e àqueles que nem mesmo aprenderam a ler.

No entanto, temos certo, por experiência própria, que todos aqueles e aquelas que têm as marcas da predestinação celeste, recitam com gosto e sabor a ave-maria, de modo que, quanto mais são de Deus, mais apreço têm por essa benfazeja oração. Também isso a Santa Virgem revelou ao bem-aventurado Alain, logo após as palavras que acabo de citar.

251. Não sou capaz de dizer como e por que isso acontece, mas posso dizer que é certo que é assim. E não conheço melhor segredo para saber se uma pessoa é de Deus do que examinando se ela gosta de recitar a ave-maria e o terço. Digo: ela gosta, pois pode acontecer que uma [pessoa] esteja natural ou sobrenaturalmente impossibilitada de rezá-la, mas ainda assim gosta de fazê-lo e de inspirar os outros a fazê-lo.

252. ALMAS PREDESTINADAS, ESCRAVAS DE JESUS EM MARIA, tenham como certo que a ave-maria é a mais bela dentre todas as orações depois do pai-nosso. Trata-se do mais perfeito cumprimento que você pode dirigir a Maria, na medida em que é o cumprimento que o Altíssimo mandou um arcanjo dirigir a ela, para conquistar seu coração. E, de fato, tal cumprimento foi tão poderoso sobre o seu coração, pelos encantos secretos dos quais está cheio, que Maria deu seu total consentimento à Encarnação do Verbo, não obstante sua profunda humildade. É por meio desse cumprimento também que vocês conquistarão eficazmente seu coração, se o fizerem como se deve.

253. A ave-maria bem recitada, isto é, de forma atenta, devota e humilde, é, conforme afirmaram os santos, o inimigo do diabo, capaz de botá-lo para correr, e o martelo capaz de esmagá-lo, assim como a santificação da alma, a alegria dos anjos, o hino dos predestinados, o cântico do Novo Testamento, o prazer de Maria e a glória da Santíssima Trindade. A ave-maria consiste num orvalho celeste que fertiliza a alma, num beijo casto e apaixonado que damos em Maria, numa rosa púrpura que a ela entregamos, numa pérola preciosa que lhe damos, numa taça de ambrosia que para ela preparamos e no néctar divino que a ela ofertamos. Todas as comparações não são minhas, mas dos santos.

254. Assim sendo, peço-lhes com presteza, pelo amor que lhes tenho, em Jesus e em Maria, que não se deem por satisfeitos em recitar apenas a pequena coroa da Santa Virgem, mas também o terço e mesmo, se tiverem tempo, o santo rosário, diariamente, e certamente vocês bendirão, quando vierem a morrer, o dia e a hora em que me deram crédito. E então, depois de terem semeado com as bênçãos de Jesus e de Maria, vocês colherão bênçãos eternas no céu: *Qui seminat in benedictionibus, de benedictionibus et metet* (2Cor 9,6).

6ª) Oração do "Magnificat"

255. *Sexta prática.* Como forma de agradecimento a Deus pelas graças por Ele dadas à Santíssima Virgem, eles rezarão com frequência o *Magnificat*, seguindo o exemplo da bem--aventurada Maria de Oignies e inúmeros santos. Essa foi a única oração e a única obra que a Santa Virgem compôs, ou que Jesus compôs por meio dela, falando por sua boca. Esse foi o maior sacrifício de louvor que Deus recebeu sob a lei da graça. Trata-se, de um lado, do mais humilde e mais grato, e, de outro, do mais sublime e exaltado dentre todos os cânticos, no qual existem mistérios tão elevados e ocultos que mesmo os anjos desconhecem!

Gerson, que foi um doutor de imensa sabedoria e piedade, após dedicar boa parte de sua vida à redação de tratados plenos de erudição e piedade sobre as questões mais complexas, decidiu, no crepúsculo de sua existência terrena, revestido por grande temor, comentar o *Magnificat*, a fim de que esse texto coroasse todas as suas obras. Ele nos relata, num volume *in-folio*, coisas admiráveis desse cântico belo e divino, como quando diz, entre outras coisas, que a Santíssima Virgem o recitava com frequência, e particularmente após a Santa Comunhão, em ação de graças.

O erudito Benzonius, ao comentar o mesmo Cântico, se refere a vários milagres realizados por virtude dele, e garante que os demônios tremem e fogem ao ouvir as seguintes palavras do *Magnificat*: *Fecit potentiam in brachio suo, dispersit superbos mente cordis sui* ("Ele agiu com a força de seu braço. Dispersou os arrogantes de coração", Lc 1,51).

7ª) O desprezo do mundo

256. *Sétima prática*. Os servos fiéis de Maria têm o dever de desprezar, odiar e esquivar-se ao mundo corrompido, bem como de pôr em prática as atitudes de desprezo do mundo.

Artigo segundo: Práticas particulares e interiores para aqueles que desejam se tornar perfeitos

257. Em acréscimo às práticas exteriores que acabamos de citar, das quais não se deve descuidar, quer por negligência quer por desprezo, segundo permitem as possibilidades e condições de cada um, referiremos agora práticas interiores santificantes para aqueles aos quais o Espírito Santo chama a uma perfeição elevada. Tais práticas cabem em quatro palavras, na medida em que serão feitas POR MARIA, COM MARIA, EM MARIA e PARA MARIA, a fim de que sejam feitas mais perfeitamente POR JESUS CRISTO, COM JESUS CRISTO, EM JESUS CRISTO e PARA JESUS CRISTO.

1ª) Realizar todos os atos por Maria

258. 1º) Devem realizar todos os atos por Maria, isto é, é necessário que obedeçam à Santíssima Virgem em todas as coisas e sejam conduzidos em todas as coisas por seu espírito, que é o Espírito Santo de Deus. Aqueles que são conduzidos pelo Espírito de Deus são filhos de Deus: *Qui spiritu Dei aguntur, ii sunt filii Dei* ("De fato, todos os que são guiados pelo Espírito de Deus são filhos de Deus", Rm 8,14). Os que se deixam conduzir pelo espírito de Maria são filhos de Maria e, consequentemente, filhos de Deus, como demonstramos. Dentre tantos devotos da Santa Virgem, os verdadeiros e fiéis devotos são unicamente aqueles que se deixam conduzir por seu espírito. Afirmei que o espírito de Maria é o Espírito de Deus pelo fato de que ela jamais se deixou levar por seu próprio espírito, mas sempre pelo Espírito de Deus, que de tal maneira foi o seu Mestre que acabou por se tornar seu próprio espírito. Por essa razão, declara Santo Ambrósio: *Sit in singulis...*, ou seja, "Que a alma de Maria esteja em cada um para glorificar ao Senhor; que o espírito de Maria esteja em cada um para alegrar-se em Deus". Que felicidade possui uma alma que – a exemplo de um bom irmão jesuíta, chamado Rodriguez, morto santamente – foi possuída pelo espírito de Maria e é governada por um espírito de mansidão e fortaleza, zelo e prudência, humildade e coragem, pureza e fecundidade!

259. A fim de que a alma se deixe conduzir por esse espírito de Maria, é necessário:

a) Renunciar a seu próprio espírito, a suas próprias luzes e vontades, antes do que quer que seja: de fazer uma oração, por exemplo; de presidir ou participar da Santa Missa; de receber a Eucaristia... Porque, se seguirmos as trevas de nosso espírito e a malícia de nossa vontade própria, ainda que as consideremos boas, servirão de obstáculo ao espírito de Maria.

b) Devemos entregar-nos ao espírito de Maria, para sermos movidos e conduzidos como ela desejar. Precisamos nos colocar e nos abandonar em suas mãos virginais, como uma ferramenta nas mãos do trabalhador, como um violão nas mãos de um bom músico. Precisamos nos perder e nos esquecer nela, como uma pedra lançada no mar, o que se faz de maneira simples e instantânea, com um único movimento do espírito, ou verbalmente, proferindo, por exemplo, as seguintes palavras: *Renuncio a mim mesmo e me entrego a vós, minha amada Mãe*. E mesmo que não sintamos nenhum deleite sensível nesse ato de união, nem por isso ele deixa de ser legítimo, assim como se disséssemos, com o mesmo teor de sinceridade e para grande desgosto de Deus: *Eu me dou ao diabo* – nesse caso também, embora a afirmação não implicasse qualquer mudança sensível, não deixaríamos de ser verdadeiramente do diabo.

c) De vez em quando teremos, durante uma ação e depois dela, de renovar o mesmo ato de oferenda e união. Quanto mais esse hábito se tornar arraigado em nós, mais rapidamente nos santificaremos e mais cedo chegaremos à união com Jesus Cristo, que necessariamente se segue sempre à união com Maria, porquanto o espírito de Maria é o espírito de Jesus.

2ª) Fazer todas as ações com Maria

260. 2º) Devemos fazer todas as nossas ações com Maria, ou seja, é necessário, em nossas ações, olhar Maria como o modelo plenamente acabado de toda virtude e perfeição que o Espírito Santo formou numa simples criatura, para que a imitemos segundo nossas possibilidades. Assim sendo, em cada ação necessitamos questionar como Maria Santíssima a cumpriu ou cumpriria, caso se encontrasse em nosso lugar. Por conseguinte, temos de considerar e refletir sobre as grandes virtudes praticadas por ela ao longo de sua vida, particularmente:

a) sua fé viva, que a fez crer sem vacilar na palavra do anjo. Ela acreditou com fidelidade e constância, até o pé da cruz, sobre o monte Calvário;
b) sua humildade profunda, graças à qual ela foi capaz de viver oculta, guardar silêncio, tudo suportar e buscar sempre o último lugar;
c) sua pureza completamente divina, que foi e sempre será sem igual abaixo do céu e, finalmente, todas as suas outras virtudes.

Para que não se esqueça, repito-o mais uma vez: Maria é o mais excelente e o único molde de Deus, o mais adequado a produzir imagens vivas dele, com pouco gasto e com rapidez; e uma alma que, ao encontrar esse molde, nele se derrama, logo se transforma em Jesus Cristo, representado pelo molde com realismo.

3ª) Fazer todas as ações em Maria

261. 3º) Devemos fazer todas as nossas ações em Maria. Para entendermos bem esta prática, precisamos saber:

a) Que a Santíssima Virgem é o verdadeiro paraíso terreno do novo Adão, do qual o antigo paraíso terreno era apenas a figura. Desse modo, existem riquezas, belezas, raridades e doçuras inexprimíveis nesse paraíso terreno, deixadas nele pelo novo Adão, Jesus Cristo. Foi nesse paraíso que, durante nove meses, Ele encontrou toda complacência, operou maravilhas e produziu riquezas com a grandiosidade de um Deus. Esse santíssimo lugar se constitui de uma terra virgem e imaculada, que formou e nutriu o novo Adão, sem qualquer mancha ou sujeira, pela obra do Espírito Santo, que nele reside. É nesse paraíso terreno que se encontra verdadeiramente a árvore da vida, que trouxe Jesus Cristo, o fruto da vida; a árvore da ciência do bem e do mal, que trouxe a luz ao mundo. Nesse ambiente divino existem árvores plantadas pela mão de Deus e irrigadas por sua divina unção, que deram e dão diariamente frutos de delícia divinal; também se veem canteiros repletos de belas e diferentes flores das virtudes, que exalam um perfume que inebria até os anjos. Há nesse lugar verdes prados de esperança, torres de força inabalável, belas casas ornadas de confiança... Somente o Espírito Santo pode revelar a verdade oculta por essas figuras de coisas materiais. Também existe nesse lugar um ar puro, sem poluição; um lindo dia sem noite, da humanidade santa; um belo sol sem sombra, o Sol da Divindade; a fornalha abrasadora e inextinguível da caridade, na qual todo ferro jogado dentro é abrasado e transmutado em ouro. Há um rio de humildade que brota da terra e que, dividindo-se em quatro afluentes, irriga todo esse ambiente encantado; são as quatro virtudes cardeais.

262. b) Falando através dos santos Padres, o Espírito Santo assim definiu a Santa Virgem:

- a porta oriental, pela qual o sumo sacerdote Jesus Cristo veio e voltará ao mundo; Ele veio, pela primeira vez, por ela, e voltará, da segunda vez, também por ela;
- o santuário da Divindade, o repouso da Santíssima Trindade; o trono, a cidade, o altar, o templo e o mundo de Deus. Todos esses diferentes títulos e louvores expressam a mais pura verdade no que diz respeito às múltiplas maravilhas de graças que o Altíssimo fez em Maria. Oh! Quantas riquezas! Oh! Quanta glória! Oh! Que prazer! Oh! Que felicidade poder entrar e permanecer em Maria, onde o Altíssimo assentou seu trono de máxima glória!

263. Contudo, quanta dificuldade encontramos, pecadores como somos, para obter a permissão, a capacidade e a luz necessárias para nosso ingresso em local tão eminente e sagrado, que tem como guardião não um querubim, tal qual o antigo paraíso terreno, e sim o próprio Espírito Santo, que dele se tornou o Mestre absoluto e assim o descreveu: *Hortus conclusus soror mea sponsa, hortus conclusus, fons signatus* ("Você é um jardim fechado, minha irmã, noiva minha; uma fonte fechada, uma nascente lacrada", Ct 4,12). O Espírito Santo fechou e selou Maria; os miseráveis filhos de Adão e Eva, banidos do paraíso terreno, só podem entrar nele por uma graça particular do Espírito Santo, da qual precisam ter merecimento.

264. Tendo sido fiéis e, por conseguinte, recebido essa graça incomparável, falta-nos permanecer no belo interior de Maria com agrado, ali descansando pacificamente, apoiando-nos com confiança, escondendo-nos com segurança e perdendo-nos ilimitadamente, para que, nesse seio virginal:

1) a alma se nutra com o leite de sua graça e misericórdia materna;
2) seja liberta de seus pavores, tribulações e pensamentos escrupulosos;
3) esteja a salvo de todos os adversários, como o demônio, o mundo e o pecado, que nele jamais terão permissão de entrar. Essa é a razão pela qual ela diz que todos os que atuam nela jamais cairão em tentação: *Qui operantur in me, non peccabunt* (Eclo 24,30), ou seja, os que permanecem na Santa Virgem em espírito jamais pecarão de modo considerável;
4) enfim, para que a mesma alma seja formada em Jesus Cristo e Jesus Cristo se forme nela, pois o seio de Maria, como declararam os Padres, é a sala dos sacramentos divinos, onde Jesus Cristo e todos os eleitos foram formados: *Homo et homo natus est in ea* (Sl 86,5).

4ª) Fazer todas as ações para Maria

265. 4º) Por fim, todas as nossas ações devem ser realizadas para Maria, na medida em que, tendo-nos confiado a seu serviço, é justo fazermos tudo para ela, como um valete, um serviçal e um escravo, o que não quer dizer que ela seja considerada como o fim último de nossos serviços - Jesus Cristo, sim, o é -, mas como nosso fim próximo e nosso meio misterioso, e nosso meio instantâneo para alcançá-lo. Tal qual um servo bom e fiel, não podemos nos deixar levar pela ociosidade; devemos, ao contrário, sustentados por sua proteção, começar e realizar grandes coisas para essa augusta Soberana. Temos o dever de defender seus privilégios, quando estiverem ameaçados; o dever de conservar sua glória, quando for atacada; o dever de incentivar todo o mundo, quando assim pudermos, a seu serviço e a esta verdadeira e fundamentada devoção; o dever de falar e gritar contra todos os que deturparem sua devoção para ofender seu Filho. Desse modo, só podemos esperar dela, como recompensa pelos pequenos serviços que lhe prestamos, a honra de pertencer a tão amável Princesa, e a felicidade de com ela estarmos unidos a Jesus Cristo, seu Filho, com um vínculo que não pode ser desfeito nem no tempo nem na eternidade.

GLÓRIA A JESUS EM MARIA!
GLÓRIA A MARIA EM JESUS!
GLÓRIA A DEUS SOMENTE!

SUPLEMENTO

Como praticar esta devoção na santa comunhão

I) Antes da comunhão

266. 1) Você deverá se humilhar profundamente diante de Deus.

2) Deverá renunciar a seu fundamento de corrupção e às disposições de seu amor-próprio, por melhores que lhe pareçam.

3) Deverá renovar sua consagração, proferindo as seguintes palavras: *Tuus totus ego sum, et omnia mea tua sunt* ("Sou todo teu, minha querida Senhora, e tudo o que possuo é teu").

4) Deverá rogar a essa Mãe bondosa que lhe empreste seu coração, para nele você poder receber seu Filho, com as mesmas

disposições que lhe são próprias. A ela você declarará que a glória de seu Filho não merece ser diminuída ao ser colocada num coração tão impuro e inconstante como o seu, que poderia inclusive esvaziar-lhe a glória; mas se ela desejar residir em você, para que possa receber seu Filho, poderá fazê-lo, em virtude do domínio que tem sobre o seu coração; e assim seu Filho será por ela bem recebido, sem mácula nem risco de ser ultrajado ou ter sua glória diminuída: *Deus in medio ejus non commovebitur* ("Deus está em seu meio, ela não cambaleará", Sl 46,6). Você lhe dirá com confiança que todo o bem que você lhe deu é insignificante para honrá-la; contudo, pela santa comunhão, você se dispõe a presenteá-la com o mesmo presente que o Pai eterno a presenteou, motivo pelo qual ela será mais honrada do que se estivesse recebendo todas as riquezas do mundo inteiro; e que, enfim, Jesus Cristo, que a ama de modo incomparável, ainda quer encontrar nela o seu agrado e repouso, não obstante em sua alma, que é mais suja e pobre do que um estábulo, onde Ele não teve dificuldade de comparecer, porque ela ali estava presente. Você lhe pedirá seu coração por meio destas palavras: *Accipio te in mea omnia. Praebe mihi cor tuum, o Maria* ("Recebo-te como tudo o que tenho. Dá-me teu coração, ó Maria", cf. Jo 19,27; Pr 23,26).

II) Durante a comunhão

267. Estando para receber a Jesus Cristo, depois do pai-nosso, você lhe dirá três vezes: *Domine, non sum dignus* ("Senhor, eu não sou digno"), como se você estivesse dizendo pela primeira vez ao Pai eterno que não é digno – em razão de seus pensamentos ruins e atitudes de ingratidão em relação a um Pai tão bondoso – de receber seu Filho unigênito, mas que conta com a companhia de Maria, sua serva (*Ecce ancilla Domini*), que o ajuda e lhe dá uma confiança e esperança sem igual junto à Divina Majestade: *Quoniam singulariter in spe constituisti me* ("Em paz me deito e rápido adormeço, porque o Senhor, somente ele, me faz repousar com segurança", Sl 4,9).

268. Você dirá ao Filho: *Domine, non sum dignus*, que você não é digno de recebê-lo, em razão das palavras inúteis e nocivas que pronunciou, e de ter sido infiel em servi-lo, mas que você lhe suplica piedade, porquanto o fará entrar na residência de sua própria Mãe e nossa, e que você não o deixará em paz enquanto Ele não tiver vindo habitar na casa dela: *Tenui eum, nec dimittam, donec introducam illum in domum matris meae, et in cubiculum genitrix meae* ("Arrastei-o para mim, para não mais soltá-lo, até levá-lo à casa de minha mãe, ao quarto daquela que me deu à luz", Ct 3,4). Você clamará que Ele se eleve e se faça presente nesse lugar de seu repouso e na arca de sua santificação: *Surge, Domine, in requiem tuam, tu et arca santificationis tuae* ("Levanta-te, Senhor, para o teu repouso, tu e a arca de teu poder", Sl 131,8). Você lhe confessará que não põe a confiança em seus méritos individuais, em suas capacidades e esforços, como Esaú, mas nos méritos e na força de Maria, sua querida Mãe, como o pequeno Jacó nos cuidados de Rebeca. Também lhe dirá que, embora sendo pecador como Esaú, você ousa se aproximar de sua divina santidade, revestido e munido com os méritos e virtudes de sua santa Mãe.

269. Ao Espírito Santo você dirá: *Domine, non sum dignus*, que você não é digno de receber a obra-prima de sua caridade, em razão da tepidez e perversidade de suas atitudes e do fato de ter sido resistente a suas inspirações, mas que toda a sua confiança se encontra em Maria, sua Esposa fiel; e com São Bernardo você proclamará: *Haec maxima mea fiducia; haec tota ratio spei meae* ("Esta é minha maior confiança; esta é toda a razão da minha esperança").[4] Você inclusive poderá lhe pedir que venha novamente cobrir Maria, sua esposa indissolúvel, com sua sombra; que seu seio está tão puro e seu coração, tão abrasado como nunca; e que, sem sua vinda à sua alma, nem Jesus nem Maria serão formados, nem terão digna morada nela.

III) Depois da santa comunhão

270. Após a santa Eucaristia, em atitude de recolhimento interior, com os olhos cerrados, você permitirá que Jesus entre no coração de Maria. Assim, você o entregará a sua Mãe, que o receberá afetuosamente, o honrará, o adorará profundamente, o amará do modo mais perfeito que poderia existir, o abraçará forte e lhe prestará, em espírito e em verdade, inúmeros serviços que nos são ignorados, em virtude de nossas trevas vultosas.

271. Você dará provas de estar profundamente humilhado em seu coração, na presença de Jesus, que reside em Maria. Você se colocará como um escravo diante da porta do palácio real, onde o Rei se encontra em íntimo colóquio com a Rainha; e, enquanto eles dialogam, sem precisar de você, você será transportado espiritualmente ao céu e por toda a terra, pedindo às criaturas que agradeçam, adorem e amem a Jesus e Maria em seu lugar: *Venite, adoremus, venite* (Sl 94,6).

272. Você também pedirá a Jesus, unido a Maria, que seu Reino venha sobre a terra, através de sua santa Mãe, ou a divina sabedoria, ou o amor divino, ou que os seus pecados sejam perdoados, ou alguma outra graça, mas sempre por Maria e em Maria. E olhando para si mesmo, você dirá a Ele: *Ne respicias,*

[4] *De Aquaeductu*, n. 7.

Domine, peccata mea; sed oculi tui videant aequitates Mariae ("Senhor, não olheis os meus pecados, mas que vossos olhos não enxerguem em mim senão os méritos e as virtudes de Maria"). E, trazendo de volta à memória os seus pecados, você acrescentará: *Inimicus homo hoc fecit* ("Fui eu, que sou o maior inimigo que tenho contra mim mesmo, que cometi esses pecados", Mt 13,28); ou então: *Ab homine iniquo et doloso erue me* ("Liberta-me do homem perverso e fraudulento", Sl 43,1); ou ainda: *Te oportet crescere, me autem minui* ("Meu Jesus, é necessário que vós cresçais em mim, e que eu seja menos do que sou", cf. Jo 3,30); *Crescite et multiplicamini* ("Ó Jesus e Maria, crescei em mim e multiplicai-vos fora de mim, isto é, nos outros", cf. Gn 1,22).

273. Há uma diversidade de outros pensamentos que o Espírito Santo lhe propõe e proporá, se você cultivar a interioridade, mortificar-se e for fiel a esta grande e sublime devoção que pretendi lhe ensinar. Mas não se esqueça de que, quanto mais você deixar Maria atuar em sua comunhão, mais estará glorificando Jesus; e quanto mais você permitir que Maria atue para Jesus, e Jesus em Maria, quanto mais profundamente você se humilhar, mais os ouvirá com paz e em silêncio, sem pelejar muito para ver, saborear e sentir, pois o justo vive pela fé e, sobretudo, na santa comunhão, que é um ato de fé: *Justus meus ex fide vivit* (Hb 10,38).

Apêndice de orações preparatórias para a Consagração total a Nosso Senhor Jesus Cristo por meio da Santíssima Virgem Maria

Exercícios preliminares – O desapego do espírito mundano

Nessa primeira parte da preparação para a consagração, deve-se rezar doze dias na intenção de se alcançar de Deus, por meio de Maria, a graça do desapego do espírito mundano (Consultar o tratado, n. 227). E isso consiste em combater a inclinação desordenada a si mesmo, aos bens materiais e às pessoas. As orações que devem ser rezadas diariamente nessa primeira parte são: a **Ave, Estrela do Mar** e o **Vinde, Espírito Criador.**

Ave, Estrela do Mar

Ave, do mar Estrela,
De Deus Mãe bela,
Sempre Virgem,
Da morada celeste,
Feliz entrada.

Ó tu que ouviste da boca
Do anjo a saudação:
Dá-nos paz e quietação;
E o nome de Eva troca.

As prisões aos réus desata,
E a nós, cegos, alumia;
De tudo que nos maltrata
Nos livra, o bem nos granjeia.

Ostenta que és mãe, fazendo
Que os rogos do povo seu
Ouça aquele que, nascendo
Por nós, quis ser Filho teu.

Ó Virgem especiosa,
Toda cheia de ternura,
Extintos nossos pecados,
Dá-nos pureza e brandura.

Dá-nos uma vida pura,
Põe-nos em via segura,
Para que a Jesus gozemos,
E sempre nos alegremos.

A Deus Pai adoremos;
A Jesus Cristo também,
E ao Espírito Santo; demos
Aos três igual louvor. Amém.

Vinde, Ó Espírito Criador

Vinde, ó Espírito Criador,
visitai os corações dos vossos seguidores,
preenchei com a graça do alto
estes corações que vós criastes.

Sois o Espírito Consolador,
a Dádiva de Deus todo-poderoso,
a Fonte de água viva,
o Fogo divino, a Caridade,
a Unção invisível das almas.

Vinde, então, com vossos sete dons preciosos,
vós que sois o Dedo de Deus,

vós que sois o conteúdo
da promessa do Pai,
vós que colocais o Verbo do Pai
em nossos lábios.

Iluminai os nossos espíritos com vossa luz,
abrasai os nossos corações
com vosso amor e santificai,
em todos os tempos, nossa frágil carne!

Bani de nós o espírito de tentação,
preenchei-nos com vossa paz infalível,
sede vós mesmo o nosso guia,
de modo que possamos evitar
tudo o que possa ser prejudicial
à nossa salvação.

Ensinai-nos a compreender o Pai.
Ensinai-nos a compreender o Filho
e a vós mesmo.
Sede sempre o objeto de nossa fé!

Por isso seja a glória,
em todos os tempos, para Deus Pai,
para o Filho, ressuscitado,
e para vós, Espírito Santo. Amém.

V. Enviai o vosso Espírito, e tudo será criado.
R. E renovareis a face da terra.

Oremos: Ó Deus, que instruístes os corações dos vossos fiéis com a luz do Espírito Santo, fazei que apreciemos retamente todas as coisas, segundo o mesmo Espírito, e gozemos sempre da sua consolação. Por Cristo Nosso Senhor. Amém.

Primeira Semana – O conhecimento de si mesmo

Nesta primeira semana da preparação, com muita humildade, deve-se rezar seis dias pedindo a Deus o conhecimento de si mesmo e a graça da contrição dos pecados (Consultar o tratado, n. 228). Orações diárias: **Ave, Estrela do Mar; Ladainha do Espírito Santo; Ladainha de Nossa Senhora.**

Ladainha do Espírito Santo

Senhor, tende piedade de nós.
Jesus Cristo, tende piedade de nós.
Senhor, tende piedade de nós.
Divino Espírito Santo, ouvi-nos.
Espírito Paráclito, atendei-nos.
Deus Pai dos Céus, **tende piedade de nós.**
Deus Filho, Redentor do mundo, »
Deus Espírito Santo, »
Santíssima Trindade, que sois um só Deus, »

Espírito da verdade, »
Espírito da sabedoria, »
Espírito da inteligência, »
Espírito da fortaleza, »
Espírito da piedade, »
Espírito do bom conselho, »
Espírito da ciência, »
Espírito do santo temor, »
Espírito da caridade, »
Espírito da alegria, »
Espírito da paz, »
Espírito das virtudes, »
Espírito de toda graça, »
Espírito da adoção dos filhos de Deus, »
Purificador das nossas almas, »

Santificador e guia da Igreja Católica, ”
Distribuidor dos dons celestes, ”
Conhecedor dos pensamentos
e das intenções do coração, ”
Doçura dos que começam a vos servir, ”
Coroa dos perfeitos, ”
Alegria dos anjos, ”
Luz dos patriarcas, ”
Inspiração dos profetas. ”
Palavra e sabedoria dos apóstolos, ”
Vitória dos mártires, ”
Ciência dos confessores, ”
Pureza das virgens, ”
Unção de todos os santos, ”

Sede-nos propício, perdoai-nos, Senhor.
Sede-nos propício, atendei-nos, Senhor.

De todo o pecado, **livrai-nos, Senhor**.
De todas as tentações e ciladas do demônio, ”
De toda a presunção e desesperação, ”
Do ataque à verdade conhecida, ”
Da inveja da graça fraterna, ”
De toda obstinação e impenitência, ”
De toda negligência e tibieza do espírito, ”
De toda impureza da mente e do corpo, ”
De todas as heresias e erros, ”
De todo mau espírito, ”
Da morte má e eterna, ”

Pela vossa eterna procedência do Pai e do Filho,
nós vos rogamos, ouvi-nos.

Pela milagrosa conceição do Filho de Deus, ”
Pela vossa descida sobre Jesus Cristo batizado, ”
Pela vossa santa aparição na transfiguração
do Senhor, ”

Pela vossa vinda sobre os discípulos do Senhor, "

No dia do juízo, *Ainda que pecadores,
Para que nos perdoeis, "
Para que vos digneis vivificar e santificar
todos os membros da Igreja, "
Para que vos digneis conceder-nos o dom
da verdadeira piedade, devoção e oração, "
Para que vos digneis inspirar-nos sinceros afetos
de misericórdia e de caridade, "
Para que vos digneis fazer-nos dignos e fortes,
para suportar as perseguições pela justiça, "
Para que vos digneis confirmar-nos
em vossa graça, "
Para que vos digneis receber-nos
no número dos vossos eleitos, "
Para que vos digneis ouvir-nos, "
Espírito de Deus, "

Cordeiro de Deus que tirais o pecado do mundo,
enviai-nos o Espírito Santo.
Cordeiro de Deus que tirais o pecado do mundo,
mandai-nos o Espírito prometido do Pai.
Cordeiro de Deus que tirais o pecado do mundo,
dai-nos o Espírito bom.
Espírito Santo, ouvi-nos.
Espírito consolador, atendei-nos.

V. Enviai o vosso Espírito e tudo será criado.
R. E renovareis a face da terra.

Oremos: Ó Deus, que instruístes os corações dos vossos fiéis com a luz do Espírito Santo, fazei que apreciemos retamente todas as coisas, segundo o mesmo Espírito, e gozemos sempre de sua consolação. Por Cristo, Nosso Senhor. Amém.

Ladainha de Nossa Senhora

Senhor, tende piedade de nós.
Jesus Cristo, tende piedade de nós.
Senhor, tende piedade de nós.
Jesus Cristo, ouvi-nos.
Jesus Cristo, atendei-nos.
Pai Celeste, que sois Deus, **tende piedade de nós.**
Filho, Redentor do mundo, que sois Deus, "
Espírito Santo, que sois Deus, "
Santíssima Trindade, que sois um só Deus, "

Santa Maria, **rogai por nós.**
Santa Mãe de Deus, "
Santa Virgem das virgens, "
Mãe de Jesus Cristo, "
Mãe da Igreja, "
Mãe da divina graça, "
Mãe da esperança, "
Mãe puríssima, "
Mãe castíssima, "
Mãe imaculada, "
Mãe intemerata, "
Mãe amável, "
Mãe admirável, "
Mãe do bom conselho, "
Mãe do Criador, "
Mãe do Salvador, "
Mãe da misericórdia, "
Virgem prudentíssima, "
Virgem venerável, "
Virgem poderosa, "
Virgem clemente, "

Virgem fiel, »
Espelho de justiça,
Sede da sabedoria, »
Causa da nossa alegria, »
Vaso espiritual, »
Vaso digno de honra, »
Vaso insigne de devoção, »
Rosa mística, »
Torre de Davi, »
Torre de marfim, »
Casa de ouro, »
Arca da aliança, »
Porta do Céu, »
Estrela da manhã, »
Saúde dos enfermos, »
Refúgio dos pecadores, »
Conforto dos migrantes, »
Consoladora dos aflitos, »
Auxílio dos cristãos, »
Rainha dos Anjos, »
Rainha dos Patriarcas, »
Rainha dos Profetas, »
Rainha dos Apóstolos, »
Rainha dos Mártires, »
Rainha dos Confessores, »
Rainha das Virgens, »
Rainha de todos os santos, »
Rainha concebida sem pecado original, »
Rainha assunta ao Céu, »
Rainha do sacratíssimo Rosário, »
Rainha da família
Rainha da Paz, »

Cordeiro de Deus, que tirais o pecado do mundo,
perdoai-nos, Senhor.
Cordeiro de Deus, que tirais o pecado do mundo,
ouvi-nos Senhor.
Cordeiro de Deus, que tirais o pecado do mundo,
tende piedade de nós.

V. Rogai por nós, Santa Mãe de Deus.
R. Para que sejamos dignos das promessas de Cristo.

Oremos: Ó Senhor Deus, concedei a nós, vossos filhos, gozar sempre da saúde da alma e do corpo; e, pela intercessão da Bem-aventurada sempre Virgem Maria, sejamos livres das tristezas da vida presente e gozemos a eterna alegria. Por Cristo, nosso Senhor. Amém.

Segunda Semana – O conhecimento da Santíssima Virgem

Nessa segunda semana, durante seis dias, a preparação consistirá em pedir a Deus mais conhecimento sobre a Santíssima Virgem, para que, conhecendo-a melhor, mais se possa amá-la (Consultar o tratado, n. 229). Orações diárias: **Ave, Estrela do Mar; Ladainha do Espírito Santo; o Rosário ou pelo menos um terço.**

Terceira Semana – O conhecimento de Jesus Cristo

Na terceira semana de oração, serão empregados seis dias, pedindo a Cristo a graça de conhecê-lo mais (Consultar o tratado, n. 230). Assim, clamando sinceramente por uma maior intimidade com o Senhor Jesus, a pessoa estará se preparando para receber Maria como a sua Mãe, Mestra e Rainha, dado que nenhuma pessoa humana tem mais intimidade com Jesus do que ela. E, para isso, devem-se rezar as seguintes orações: **Ave, Estrela do Mar; Ladainha do Espírito Santo; Ladainha do Santíssimo Nome de Jesus; e, se possível, também a oração de Santo Agostinho.**

Ladainha do Santíssimo Nome de Jesus

Senhor, tende piedade de nós.
Jesus Cristo, tende piedade de nós.
Senhor, tende piedade de nós.
Jesus Cristo, ouvi-nos.
Jesus Cristo, atendei-nos.
Pai Celeste, que sois Deus, **tende piedade de nós.**
Filho, Redentor do mundo, que sois Deus, ”
Espírito Santo, que sois Deus, ”
Santíssima Trindade, que sois um só Deus, ”

Jesus, Filho de Deus vivo, ”
Jesus, Esplendor do Pai, ”
Jesus, pureza da luz eterna, ”
Jesus, Rei da glória, ”
Jesus, Sol de justiça, ”
Jesus, Filho da Virgem Maria, ”
Jesus amável, ”
Jesus admirável, ”
Jesus, Deus forte, ”
Jesus, Pai do futuro século, ”
Jesus, anjo do grande conselho, ”
Jesus poderosíssimo, ”
Jesus pacientíssimo, ”
Jesus obedientíssimo, ”
Jesus, manso e humilde de coração, ”

Jesus, amante da castidade, ”
Jesus, amador nosso, ”
Jesus, Deus da paz, ”
Jesus, autor da vida, ”
Jesus, exemplar das virtudes, ”
Jesus, zelador das almas, ”
Jesus, nosso Deus, ”
Jesus, nosso refúgio, ”
Jesus, Pai dos pobres, ”
Jesus, tesouro dos fiéis, ”
Jesus, Bom Pastor, ”
Jesus, luz verdadeira, ”
Jesus, sabedoria eterna, ”
Jesus, bondade infinita, ”
Jesus, nosso caminho e nossa vida, ”
Jesus, alegria dos Anjos, ”
Jesus, Rei dos patriarcas, ”
Jesus, Mestre dos apóstolos, ”
Jesus, Doutor dos evangelistas, ”
Jesus, fortaleza dos mártires, ”
Jesus, luz dos confessores, ”
Jesus, pureza das virgens, ”
Jesus, coroa de todos os santos, ”

Sede-nos propício; perdoai-nos, Jesus.
Sede-nos propício; ouvi-nos, Jesus.
De todo mal, **livrai-nos, Jesus**.
De todo pecado, ”
De vossa ira, ”
Das ciladas do demônio, ”
Do espírito da impureza, ”
Da morte eterna, ”

Do desprezo das vossas inspirações, "
Pelo mistério da vossa santa encarnação, "
Pela vossa natividade, "
Pela vossa infância, "
Pela vossa Santíssima vida, "
Pelos vossos trabalhos, "
Pela vossa agonia e paixão, "
Pela vossa cruz e desamparo, "
Pelas vossas angústias, "
Pela vossa morte e sepultura, "
Pela vossa ressurreição, "
Pela vossa ascensão, "
Pela vossa instituição da Santíssima Eucaristia, "
Pelas vossas alegrias, "
Pela vossa glória, "

Cordeiro de Deus, que tirais o pecado do mundo,
perdoai-nos, Jesus.
Cordeiro de Deus, que tirais o pecado do mundo,
ouvi-nos, Jesus.
Cordeiro de Deus, que tirais o pecado do mundo,
tende piedade de nós, Jesus.

Jesus, ouvi-nos.
Jesus, atendei-nos.

Oremos: Nós vos pedimos, ó Deus, ao venerarmos o santo nome de Jesus, que, saboreando na terra a sua doçura, gozemos no céu a eterna alegria. Permiti-nos também, ó Pai, que tenhamos sempre grande temor e amor pelo Santo Nome de Vosso Filho, pois não deixais de governar aqueles que estabeleceis na firmeza do Vosso amor. Por Nosso Senhor Jesus Cristo, Vosso Filho, na unidade do Espírito Santo. Amém.

Oração de Santo Agostinho

Tu és, Cristo, meu pai santo, meu Deus piedoso, meu grande Rei, meu Bom Pastor, meu único Mestre, meu excelente auxiliador, meu bem-amado de beleza incomparável, meu pão vivo, meu sacerdote eterno, meu guia para a pátria, minha luz verdadeira, minha santa doçura, meu reto caminho, minha sabedoria preclara, minha simplicidade pura, minha concórdia pacífica, toda a minha proteção, minha boa herança e minha salvação sempiterna...

Ó Cristo Jesus, doce Senhor, por que amei, por que desejei, em toda a minha vida, algo além de ti? Onde eu estava quando meu pensamento não estava em ti?

A partir de agora, meus desejos todos, fluí e inflamai-vos pelo Senhor Jesus; correi, pois já tardastes demais; apressai-vos para onde vos dirigis; procurai de fato aquele que procurais.

Ó Jesus, quem não te ama seja excomungado; aquele que não te ama fique cheio de amarguras... Ó doce Jesus, que todo bom sentimento digno de teu louvor te ame, em ti se deleite e te admire. Deus de meu coração e minha herança, Cristo Jesus, meu espírito se abandona em ti, para que tu vivas em mim, e acendas em meu espírito a brasa fumegante de teu amor, a fim de que se torne perfeito incêndio, a arder perenemente no altar do meu coração, a ferver em minha medula, a consumir em chamas o mais íntimo de minha alma; para que, no dia da consumação de minha vida, me apresente junto a ti completamente consumado. Amém.

Depois das três semanas de preparação – Como fazer a consagração

Passados os trinta dias de preparação para a consagração, a pessoa que vai se consagrar totalmente a Jesus como escrava de amor por meio de Maria, deve se confessar nessa intenção, de preferência no dia mais próximo possível de sua consagração, mas, caso isso não seja possível, que pelo menos o faça na mesma semana.

No dia de sua consagração, a pessoa deve oferecer algum tributo em homenagem a Jesus e Maria. Esse tributo, que deve ser feito de boa vontade, pode ser um jejum, uma penitência, uma obra de caridade, alguma oração especial etc. (Conferir tratado, n. 232.)

Além do mais, na hora da consagração, quem for se consagrar deverá comungar na intenção de entregar-se totalmente a Jesus, como seu escravo de amor e de sua Mãe Santíssima. Oferecerá também essa mesma comunhão com o Senhor Eucarístico a Nossa Senhora, como a maior graça que se pode oferecer a Maria, ou seja, oferecerá a ela o seu próprio Filho, Deus e homem, a Graça por excelência. Assim, Nossa Senhora irá ajudar a pessoa a receber melhor o Cristo Eucarístico (sobre a forma de comungar, conferir o tratado nos números 266-273).

Depois da comunhão, a pessoa deverá rezar a fórmula de consagração que se encontra logo abaixo, que deve estar impressa ou escrita à mão, e, ao terminar de recitá-la, deverá assiná-la nesse mesmo dia e marcar a data da consagração (Conferir tratado n. 231).

Será nessa data da consagração que, pelo menos uma vez por ano, o consagrado a Maria deverá renovar sua consagração, repetindo, se puder, os trinta dias dos exercícios preparatórios (Sobre as formas de renovação, conferir o n. 233 do tratado).

Fórmula da Consagração total a Jesus Cristo, pelas mãos de Maria

Ó Sabedoria perene e encarnada! Ó amável e adorável Jesus, verdadeiro Deus e verdadeiro homem, Filho Unigênito do Pai sempiterno e da sempre Virgem Maria.

Profundamente vos adoro, no seio e na luz do vosso Pai, durante toda a eternidade, e no seio puríssimo de Maria Santíssima, vossa Mãe digníssima, no tempo da vossa Encarnação.

Graças dou a vós, por vos terdes rebaixado, tomando a forma de escravo, para livrar-me da impiedosa escravidão de Satanás. Eu vos bendigo e glorifico por vos terdes querido submeter em tudo a Maria, vossa Mãe Santíssima, a fim de, por Ela, tornar-me vosso fiel escravo.

Entretanto, ai de mim, criatura ingrata e desleal! Não guardei os votos e promessas que tão solenemente vos fiz no meu batismo. Não cumpri os meus deveres; não mereço ser chamado vosso filho, nem vosso escravo; e, como nada há em mim que não mereça o vosso repúdio e a vossa ira, não ouso aproximar-me por mim mesmo da vossa Santíssima e Augustíssima Majestade.

Recorro, pois, à intercessão e à misericórdia de vossa Mãe Santíssima, que me destes por medianeira junto de vós. É por intermédio dela que espero obter de vós a contrição e o perdão dos meus pecados, a aquisição e conservação da sabedoria.

Ave, pois, ó Maria Imaculada, sacrário vivo da divindade, onde a Eterna Sabedoria escondida quer ser adorada pelos anjos e pelos homens.

Ave, ó Rainha do céu e da terra, a cujo reinado é submetido tudo o que há abaixo de Deus.

Ave, ó seguro refúgio dos pecadores, cuja misericórdia a ninguém rejeita. Atendei ao desejo que tenho da Divina Sabedoria, e recebei, para isso, os votos e ofertas apresentados pela minha pequenez.

Eu, ______________________________, infiel pecador, renovo e declaro hoje, por meio de vossas mãos, as promessas do meu batismo: renuncio para sempre a Satanás, às suas pompas e às suas obras, e dou-me inteiramente a Jesus Cristo, a Sabedoria Encarnada, para o seguir, levando a minha cruz, todos os dias de minha vida. E para lhe ser mais fiel do que até agora tenho sido, escolho-vos hoje, ó Maria, na presença de toda a corte celeste, por minha Mãe e Senhora. Entrego-vos e consagro-vos, na qualidade de escravo, o meu corpo e a minha alma, os meus bens interiores e exteriores, e o próprio valor das minhas boas obras passadas, presentes e futuras, deixando-vos pleno e inteiro direito de dispor de mim e de tudo o que me pertence, sem exceção alguma, segundo o vosso agrado e para maior glória de Deus, no tempo e na eternidade.

Recebei, ó Benigníssima Virgem, esta pequenina oferta de minha escravidão, em união e em honra à submissão que a Sabedoria Eterna quis ter à vossa maternidade; em homenagem ao poder que ambos tendes sobre este vermezinho e miserável pecador; em ação de graças pelos privilégios com que largamente vos favoreceu a Santíssima Trindade.

Afirmo que quero, de hoje em diante e firmemente, como vosso verdadeiro escravo, buscar a vossa honra e obedecer-vos em todas as coisas.

Ó Mãe Venerável, apresentai-me ao vosso amado Filho na condição de escravo perpétuo, a fim de que, tendo-me resgatado por vós, por vós também me receba propiciamente.

Ó Mãe de Misericórdia, concedei-me a graça de obter a verdadeira sabedoria de Deus, e de colocar-me, para isso, entre o número daqueles que amais, ensinais, guiais, sustentais e protegeis como filhos e escravos vossos.

Ó Virgem Fiel, tornai-me, em tudo, um tão perfeito discípulo, imitador e escravo da Sabedoria Encarnada, Jesus Cristo, vosso filho, que eu chegue um dia, por vossa intercessão e com vosso exemplo, à plenitude de sua idade na terra e de sua glória no céu. Amém. Assim seja.

Práticas diárias de oração do escravo por amor

Quanto às práticas diárias de um escravo de amor, pode-se dizer que uma das principais e ideais é a oração do santo rosário, porém, para aqueles que não têm condições de rezá-lo, recomenda-se que se reze pelo menos um terço diário.

São Luís Grignion recomendou também que cada consagrado a Maria reze diariamente (se for possível) a coroazinha de Nossa Senhora.

Ademais, como uma das maiores formas de louvor e ação de graças a Deus por meio de Maria, ele indicou que se rezasse cotidianamente o Cântico de Maria (o *Magnificat*), que pode ser rezado no momento pós-comunhão ou em qualquer outra ocasião em que se queira louvar a Deus.

Além dessas orações principais, São Luís indicou muitas outras práticas devocionais que são muito edificantes para os devotos da Virgem Santíssima (conferir o tratado, n. 116), lembrando que qualquer oração deve ser feita com modéstia, devoção e atenção.

Coroazinha de Nossa Senhora

V. Dai-me a graça de vos louvar, ó Virgem Santíssima,
R. Livrai-me dos vossos inimigos.

CREDO

I) Coroa de Excelência

Pai Nosso...
Ave, Maria...
Sois feliz, Virgem Maria, que trouxestes, em vosso seio, o Senhor, Criador do mundo; destes à luz a quem te criou, e sois Virgem Perpétua.
V. Alegrai-vos, Virgem Maria.
R. Alegrai-vos mil vezes.

Ave, Maria...
Ó sagrada e imaculada virgindade, não sei com que louvores vos possa enaltecer; pois quem os céus não podem conter, vós o levastes em vosso seio.
V. Alegrai-vos, Virgem Maria.
R. Alegrai-vos mil vezes.

Ave, Maria...
Sois toda bela, ó Virgem Puríssima, e não há pecado em vós.
V. Alegrai-vos, Virgem Maria.
R. Alegrai-vos mil vezes.

Ave, Maria...
Possuís, ó Virgem Mãe, tantos privilégios quantas são as estrelas no céu.
V. Alegrai-vos, Virgem Maria.
R. Alegrai-vos mil vezes.
Glória ao Pai...

II) Coroa de Poder

Pai Nosso...
Ave, Maria...

Glória a vós, Rainha do céu, conduzi-nos convosco aos gozos do paraíso.
V. Alegrai-vos, Virgem Maria.
R. Alegrai-vos mil vezes.

Ave, Maria...
Glória a vós, ó Dispensadora das graças do Senhor, dai-nos parte em vosso tesouro.
V. Alegrai-vos, Virgem Maria.
R. Alegrai-vos mil vezes.

Ave, Maria...
Glória a vós, medianeira entre Deus e os homens, tornai-nos favorável o Todo-poderoso.
V. Alegrai-vos, Virgem Maria.
R. Alegrai-vos mil vezes.

Ave, Maria...
Glória a vós, que venceis as heresias e o demônio: sede nossa bondosa guia.
V. Alegrai-vos, Virgem Maria.
R. Alegrai-vos mil vezes.
Glória ao Pai...

III) Coroa de Bondade

Pai Nosso...
Ave, Maria...
Glória a vós, amparo dos pecadores; intercedei por nós junto ao Senhor.
V. Alegrai-vos, Virgem Maria.
R. Alegrai-vos mil vezes.

Ave, Maria...
Glória a vós, Mãe dos órfãos; fazei que nos seja favorável o Pai Todo-poderoso.

V. Alegrai-vos, Virgem Maria.
R. Alegrai-vos mil vezes.

Ave, Maria...
Glória a vós, alegria dos justos; conduzi-nos convosco à felicidade do céu.
V. Alegrai-vos, Virgem Maria.
R. Alegrai-vos mil vezes.

Ave, Maria...
Glória a vós, nossa Auxiliadora mui cuidadosa na vida e na morte; conduzi-nos convosco para o Reino do Céu.
V. Alegrai-vos, Virgem Maria.
R. Alegrai-vos mil vezes.

Glória ao Pai...

Oremos:

Ave, Maria, Filha de Deus Pai; Ave, Maria, Mãe de Deus Filho; Ave, Maria, Esposa do Espírito Santo; Ave, Maria, Templo da Santíssima Trindade; Ave, Maria, Senhora minha, meu bem, meu amor, Rainha do meu coração, Mãe, vida, doçura e esperança minha mui querida, meu coração e minha alma. Sou todo vosso, e tudo o que possuo é vosso, ó Virgem sobre todas bendita. Esteja, pois, em mim a vossa alma para engrandecer o Senhor; esteja em mim o vosso espírito para rejubilar em Deus. Colocai-vos, ó Virgem fiel, como selo sobre o meu coração, para que, em vós e por vós, seja eu achado fiel a Deus. Concedei, ó Mãe de misericórdia, que me encontre no número dos que amais, ensinais, guiais, sustentais e protegeis como filhos. Fazei que, por vosso amor, despreze todas as consolações da terra e aspire só às celestes; até que, para glória do Pai, Jesus Cristo, Vosso Filho, seja formado em mim, pelo Espírito Santo, vosso Esposo fidelíssimo, e por vós, sua Esposa mui fiel. Amém.

Sob tua proteção

À vossa proteção recorremos, Santa Mãe de Deus; não desprezeis as nossas súplicas em nossas necessidades; mas livrai-nos sempre de todos os perigos, ó Virgem gloriosa e bendita.

MAGNIFICAT (Lc 1,46-55)

A minha alma engrandece ao Senhor
e se alegra o meu espírito em Deus, meu Salvador;
pois ele viu a pequenez de sua serva,
desde agora as gerações hão de chamar-me de bendita.
O Poderoso fez por mim maravilhas
e Santo é o seu nome!
Seu amor, de geração em geração,
chega a todos os que o temem;
demonstrou o poder de seu braço, dispersou os orgulhosos;
derrubou os poderosos de seus tronos e os humildes exaltou;
de bens saciou os famintos,
e despediu, sem nada, os ricos.
Acolheu Israel, seu servidor,
fiel ao seu amor,
como havia prometido aos nossos pais,
em favor de Abraão e de seus filhos, para sempre.

Glória ao Pai, e ao Filho, e ao Espírito Santo.
Como era no princípio, agora e sempre. Amém.

SUMÁRIO